文春文庫

ダンゴの丸かじり

東海林さだお

文藝春秋

ダンゴの丸かじり*目次

ダンゴの丸かじり

カボチャはオヤジか

カボチャをじっと見ていると、

「何もそうまでして」

と、思わずうつむいて、大きなため息をついてしまうことがある。

生きていくことのつらさ、むずかしさ、苦しさを目の前に見せつけられているようで、見ていて切ない。

カボチャのほうもいち早くそうした雰囲気を察して、

「オレにかまってくれるな」

と、プイと横を向いてしまう。

カボチャとぼくは、気まずく、息苦しく、黙りこんでしまう。カボチャは見ていてつらい。その不様な姿態。意味なく大きくなってしまい、その巨体をもて余して恥じいっ

ている様子。

ゴツゴツして乾いた岩肌のような皮膚。厚顔、を絵にかいたような、その皮膚の厚さ、硬さ。野太い声（聞いたことないけど）。息づかいの荒さ。見た目の暑苦しさ。

とにかくでかくてごつい。ごつくていかつい。いかつくて見苦しい。

こういう上司が、もしすぐそばの机にすわっていたら、それだけで息苦しくなるにちがいない。

大体、全身に掘ったあのミゾは一体なんですか。

意味があるのでしょうか。

「あのですね、こうすっとですね、雨なんか降ってきたときのですね、水はけですね、それをよくするために掘ってみたんだけっども」

なんてカボチャは答えるにちがいない。

じゃあ訊くが、スイカはどうか。

カボチャと同じような畑の中にあって、ミゾなしで十分やっていっているではないか。むしろカボチャより水はけがいいくらいだ。

「それ言われっと、オレ弱いんだけっども」

大体、最初に肌をザラザラにしたのが間違いなのだ。

ザラザラにしたために水はけが悪くなり、それでミゾをつけざるをえなくなったのだ。

最初からスイカみたいに、ツルツルの肌にしておけばよかったのだ。

カボチャは図体がでかいわりに中身が貧弱だ。

門構えが立派なわりに、家の中はがらんどうだ。

まん中あたりなんかスカスカしていて空洞さえある。

スイカをみなさい。

中身ギッシリ。しかもまん中にいくほど甘くておいしくて充実している。

カボチャという名前もよくない。

特に〝ボチャ〟がよくない。

なんだか水たまりに足を突っこんだときの音のようだ。

つまり〝失敗の音〟なのだ。

カボチャは中央アメリカ原産のものを、ポルトガル人がカンボジアから持ちこんだもので、カンボジアがなまってカボチャと呼ばれるようになったという。そういう由来ならば、カボチャより、むしろカボジャにすべきだったのだ。

ボジャボジャという音は、たとえば温泉を掘り当てたときに、湯がわき出る音だ。あるいは、石油を掘り当てたときの音でもある。

つまり〝めでたい音〟なのだ。

〝ボチャ〟は〝失敗の音〟であり、〝ボジャ〟は〝成功の音〟なのだ。(このへん強引かな)

あるいは、どうせなまるのだから、むしろ全部濁音にしてガボヂャとする手もあった。

あるいは、全部濁音を取って、カホチャとする手もあった。

カホチャ。

どうです。これだけでずいぶんカボチャのイメージが変わるではありませんか。

カボチャは生きていくためにいろんな手だてを考えた。

いろんな工夫を試みてみた。

そのことごとくがうまくいかなかったのだ。

皮膚のザラザラが、まず失敗だった。

そのためにミゾをつけなければならなくなり、見苦しい姿になり、みんなに「不様だ」などと言われるようになってしまった。

そこへもう一つ、名前の不幸が重なった。

こういうものはもう、不幸というよりほかはない。

野球界の長嶋監督と野村監督はよく比較されて、長嶋監督がヒマワリで野村監督は月見草ということになっている。

野菜の世界で比較するとどうなるか。

当然、長嶋監督がスイカで、野村監督はカボチャということになる。

むろん、実力の話ではなく、見た目のことを言っているのです。

このへんでカボチャを総括してみよう。

生き方は無器用だが実力はある。

存在感もある。あり過ぎるほどある。

一見、大人しそうに見えるが、自己主張も激しい。

不様で武骨で、自己主張が激しくて、息づかいが荒くて、図体がでかくてそばにいられるだけで暑苦しくて、見苦しくて、声がでかくて、門構えがでかいわりに内容が貧弱で、厚顔で、弁解がましくて、と書きつらねてくると、これは何かによく似ている。

何だろう。

そうです、世にいう〝オヤジ〟です。野菜界のオヤジがカボチャなのです。

どういうわけか、オヤジというものはカボチャを嫌う。

飲み屋のメニューにカボチャのメニューはまずない。

オヤジは、カボチャの中に自分の姿を見て、それでカボチャから目をそむけるのです。

ニッポンのカフェテラス

最近、原宿とか青山とか麻布あたりで、オープンエアたらいう店が急速に増えているのであります。あの、ホラ、フランスのパリなんかで、店から歩道に張り出して、イスやテーブルを並べている飲食店がありますね。カフェテラスたらいうやつ。あれです。

ふつうの喫茶店でも、歩道ぎりぎりのガラス越しに、外に向かって客がすわるようになっている店も増えている。ガラスの中の客は、外を通る客を意識して、気取ってコーヒーカップを口に運んだりしているんですね。

わたくしは、これらの店に対し、力強く、「けしからん」という立場をとる者であります。

「気取るんじゃねえ」と、口の端をゆがめて、吐き捨てるように言う者であります。

〝パリジャン気取り〟っていうんですか。わざとヒマそうにゆったりとコーヒーをすす

ったり、わざとらしく本を拡げて、わざとらしくタバコの煙を手で払ったり、みんな歩道を通る人に向かって演技してるんですね。

つい先だって、原宿の表参道を、ＪＲの原宿駅のほうからブラブラ歩いて行ったら、突然あるんですね、道路の左端に本格的なカフェテラスの店が。ずいぶん大きな店で、間口だけでも十八メートルぐらいある。

「カフェ・デ・プレ」という店で、客の全員が道路を向いてずらりとすわっている。最前列だけで二十人、二列目十五人、三列目十人、合計四十五名以上が、道行く人を眺めている。皇太子殿下の御成婚のときの車を待つ人々状態。あるいはマラソンの沿道で小旗を持って待ちかまえる人々状態。

わたくしは何の心構えもなくブラブラ歩いて行って、その店の前にさしかかったわけですが、いや、もう、あがっちゃって、あがっちゃって、身も世もあらぬ状態。

十八メートルはずいぶん長い。

どうしても自然に歩いて行くことができず、一歩一歩に力が入り、幼稚園児の運動会の入場式のように、右手と右足同時運行のオイッチニ、オイッチニ状態となってしまった。よくぞ、まあ、途中でころばなかったと思う。

ああいうときって、店の中ですわって見ているほうは絶対有利で、その前を歩いていくほうは絶対に不利だ。

なんかこう、卑屈になってしまい、卑屈になる理由なんて少しもないだけによけいくやしい。

なにしろ向こうは、優雅に足を組んで、コーヒーカップを口に運びながら、道行く人を眺めていればいいのだが、こっちはとりあえず、歩くという〝実務〟に励まなければならない。

しかも、こっちの実務が、店側のメシのタネになっているというところがどうにもくやしい。足を組んでる奴らの、「ヤーイ、ヤーイ、うらやましいだろ」という声が聞こえてくるような気がする。「うらやましくなんかねーや」と心の中でやり返し、「オレだってパリぐらい行ったことあらぁ」と、突然ヘンなことを思い、「ナメんじゃねー、バーロー」と、突然下品になり、心の中はもうぐちゃぐちゃ、なのに、それは奴らに悟られてはならず、表面的には何事もないように、さり気なく歩いていくつらさ。

十八メートルを歩き切ったときはもうヘトヘト。まったくもって、いまの十八メートルは突然の災難としか言いようがない。

しかもこっちは、何一つ悪いことはしてないのに、ただ歩いていただけなのに、突然、いためつけられたのだ。

わたくしは、どうにも腹の虫がおさまらなかった。

(仕返ししてやる)

石をぶつける、ということも考えたが、それはあまりに大人気ない。

(店に突入する)

ということを考えた。

角棒を持って突入する、ということも考えたが、それもあまりに大人気ないので、きちんとお金を払う客として、静かに突入する、という紳士的な態度

で突入することにした。

引き返して店の前に立った。（こういうたぐいの店は、勝手にテーブルにすわっちゃいけないんだよね。店の人の指示に従わなきゃいけないんだよね）

なにしろこういう店には慣れてんだよ、こっちは、という態度で、店の入り口にたたずんでいると、

「空いてるテーブルにどこでもどうぞ」

と言いやがるんですね、ボーイが。急いで、端のテーブルにすわった。

最前列である。

なんだか急に、晴れがましいような気持ちになった。二人がけで、イスもテーブルもきわめて小さい。

これはあとでわかったことだが、この店のシステムは、道路からいきなり、空いてるテーブルにすわっていいのだった。慣れてる人はみんなそうしているのだった。

テーブルの上にメニューがある。

こういうオシャレな店では、オシャレな飲み物を注文しないとバカにされる。そう思い、「ペリエとオレンジジュース」（一〇三〇円）と、「チキンレバーテリーヌ・サンド

イッチ」（一二四〇円）を注文した。コーラ（六二〇円）も、ふつうのサンドイッチ（六二〇円）もある。この「ペリエとオレンジジュース」は、オレンジをしぼったフレッシュジュースに、ペリエを割って飲むらしい。グラスに少しジュースが入っていて、ペリエのビンが一本ついている。

この店のシステムは、注文品と引き換えにテーブルで金を払う。

（知ってんだよ、こっちは）と、慣れてるふうに金を払い、ジュースのグラスに慣れてるふうにペリエを注ぎ、慣れてるふうに足を組み、道行く人々に問いかけた。

「どお、うらやましい？」

マカロニ君大好き

スーパーのお惣菜コーナーに行くと、ポテトサラダとマカロニサラダが並んで売られている。

諺に「犯罪の陰に女あり」というのがあるが、「ポテサラの隣にマカサラあり」という諺もあるくらい、両者は必ず並んで売られている。

――ポテトサラダにするか、マカロニサラダにするか――

ここでぼくはいつも迷う。晩酌のおかずに、このどちらかは欠かせない。迷ったあと、手を出すのはいつもマカロニサラダのほうだ。自分でもなぜだかよくわからないのだが、ぼくはマカロニサラダが大好きなんです。

そうやってマカロニサラダをカゴに入れたあと、ポテサラのほうもすばやくカゴに入れてしまう。

つまり、結局は両方を買うことになるのだが、両方をいっぺんにカゴに入れるより、こういう過程を経ておいたほうが、あとで食べるときいっそうおいしくなるのです。

マカロニサラダの魅力は何か。あ、その前にですね、マカロニサラダは必ずフォークで食べてください。フォークで突き刺して食べる。特に狙いを定めずとも、とにかくフォークを突き刺せば、必ず二本ないし三本のマカロニが刺さってくる。ときには四本も刺さってくることもある。

これが嬉しい。魚をモリで突

いているようで楽しい。川でヤマメなんかをモリで突いてもこうは刺さってこない。マカロニは、刺せば必ず刺さってくる。もう、ほとんど〝入れ食い状態〟だ。

これが楽しくないはずはない。

しかも、マカロニは輪なので、上側と下側の二か所、フォークの歯にしっかりと刺さっているから抜け落ちたりすることはない。この〝しっかり感〟が、また嬉しい。ひと刺し刺せば、マカロニばかりでなく、キュウリなんかも刺さってくるし、その間にニンジンの細切りなんかもはさまってくる。

マカロニのおいしさは穴のおいしさである。穴によって生まれる弾力のおいしさである。うどんの弾力ともちがう、はずむおいしさである。マカロニが歯と歯の間にはさまって、輪の上側と下側が穴の上下ではずむ。この感触がキモチいい。小麦粉を練ったものが、モクモクとはずんでおいしい。

マカロニの弾力をモクモクと味わっていると、そこのところへキュウリのシャリシャリが加わり、ビシャビシャにゆるんだマヨネーズの味が加わり、ニンジンのパリパリが加わって、全体の冷たさが口の中に清涼感をもたらす。

ビシャビシャの中のモクモク。

モクモクの中のシャリシャリ。

モクシャリの中のパリパリ。

ビシャモクシャリのパーリパリ。
パーリパリのモークモク。
タイラバヤシかヒラリンか。イチハチジューのモークモク……。（こういう落語があるんです）
マカロニ料理のもう一方の雄は、当然マカロニグラタンだ。これがまたおいしい。これまた大好き。マカロニグラタンがモウモウと湯気をあげながらテーブルに運ばれてくると、誰もが「キタ、キタ」と身構える。両腕の両わきをしめて、思わずコブシをグッと握りしめる人もいる。

マカロニグラタンの「キタキタ感」は大きいのだ。

上から眺めると、黒く焦げたところと、褐色に焦げたところと、白いままのところとがあって、それぞれの部位はそれぞれに味がちがう。

同じ材料に熱が加わっただけなのに、その加わり具合で味がちがう。

上に張っている少し焦げた皮をはがし、焦げてない白いソースをまぶして食べる。これがウマい。

グラタン皿のまわりのフチにこびりついているお

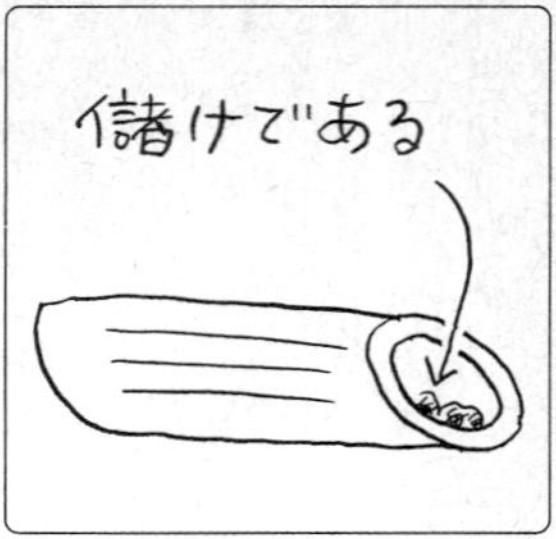

コゲを、フォークでこそげ落としてから食べ始めるという人もいる。

そうです。グラタンもまた、フォークで食べなければなりません。

フォークに刺さったアツアツのマカロニに、あらためてアツアツの白い部分のソースを十分にからませ、上唇と下唇に触れないように口の中に入れて嚙みしめると、ペースト状だったホワイトソースが、唾液を含んで口の中でポタージュスープ化していくのがわかる。

この過程がおいしい。

ある程度冷めてくると、マカロニグラタンはすっかり〝安心の食べもの〟となる。

あとはもうすっかり安心して、すくっては食べ、すくっては食べればよい。全体が柔らかく、硬いものや、警戒すべき内容物は一つもない。言ってみれば、離乳食のようなものだ。

食べているうちにすっかり安心して、いつのまにか乳児化している自分に気づく。

マカロニの一種に、わりに太くて（直径一センチ）、両端の切り口が尖っているペンネという種類がある。

これにホワイトソースとかミートソースをまぶして食べる。

ミートソースだと、ソースや小さな肉片が、マカロニの穴の中にも侵入してくる。それを見るとぼくは、

（この小さな肉片はぼくの儲けだ）

と思ってしまう。

店の人はソースをかけるとき、目分量でかけるわけで、穴の中に入ってしまったソースは上からは見えない。

その分余計にかけるのではないか。

というのが〝儲け〟の発想の根拠なのです。

そこで、儲けを増やそうと思って、皿の上のソースと肉片を、さらに穴の中に押しこむんだけど、これで本当に儲けは増えていくのでしょうか。

饅頭こわい

饅頭の中身は何か。

日本人ならこのことを知らない人はいない。いまさら口に出して言うのも恥ずかしいが、そうです、それはアンコです。

今川焼きなら、いまはアンコのほかにクリームやチーズなんてのもあるし、大福なら苺が入っていることもある。

だが、饅頭に限っては、頑固に中身は絶対にアンコです。

と、わかっているのに、人は饅頭を手に取ると、まず二つに割り、そしてですね、ここが大事なところなんですけど、見るんですね、中のアンコを。

見て、うなずくんですね。ウン、アンコだと。だから、最初から言ってるでしょ、アンコだって。

二つに割ったアンコの断面は、手で割ったにしてはスッパリと、まるで刃物で切ったように割れている。

そしてアンコが、皮のとこまでギッシリと詰まっている。

アンパンとか、中華マンとか、カレーパンには、中身の上に空洞があるのだが、饅頭には空洞がない。

皮のとこまでアンコがビッシリ。

中身いっぱいアンコがミッチリ。

スキマのないピッチリの幸せ。

その幸せを味わいたくて、人は饅頭を割るのです。割ってみて、それを確かめて幸せにひたるのです。

ビッチリであることはわかっているのだが、一応確認したい。確認して安心したい。

だから饅頭を二つに割って確認したあと、

「疑ってゴメンね」

と、饅頭にあやまっている人もいる。(いません)

話は突然飛ぶが、この夏、道ばたの自動販売機で、「カンフー」という名前の黒いラベルの缶飲料を買った。

あまりに暑かったので、三口ほどで全部飲んでしまい、空き缶を捨てようとして、

「ハテ、いまの飲み物はどんな色をした、どんな飲み物だったんだろう」

と、フト思った。

そうなのだ。いままで人類は、その飲食物の実態を確認もしないで飲んだり食べたりしたことなど、一度もなかったはずだ。

缶飲料というものが出現して、初めて〝見ず飲み〟の習慣が生まれたのだ。

いつも食べ慣れている饅頭でさえ、慎重に割って中身を確認していた人類が、こうもスキだらけの食生活になってしまったのだ。

こんなことで人類は大丈夫なのだろうか。

と、一応、人類の未来を憂えておいて、話は饅頭に戻る。

一口に饅頭といっても、種類はたくさんある。酒饅、薄皮饅、栗饅、温泉饅頭、かるかん饅頭……。

白いのや、茶色いのや、でかいのや、小さいのや、表面に焼きゴテのハンコが押してあるのもある。

饅頭の地位は、ひところより総体的に下落している。

特に温泉饅頭の地位が下がった。

会社の出張みやげなどでも、フルーツケーキや一口パイ、ホワイトチョコなどの人気は高いが、温泉饅頭となるとがっかりされる。

ほほんほほに
あんほは
ここんとこに
アンコが

みんなの机のひきだしに幾日もしまいこまれ、カビが生えることになる。また、饅頭とカビはよく似合うんですね。日常生活でも、

「きょうはひとつ、饅頭でも買ってきて食ってみっか」

ということはほとんどなくなってきた。

昔の饅頭の地位は高くて、冠婚葬祭を取りしきったりしていた。

葬式饅頭というものがあったし、お祝いの席では

紅白饅頭が配られたりした。

落語にも、有名な「饅頭こわい」があって、日常のお茶の友の主役であったことがわかる。

でも、たまに食べると饅頭はおいしい。

地味でひかえめな菓子だが、どこかしみじみしたところがあり、しみじみ食べるとしみじみおいしい。

特に、心が少しいじけているとき食べるとおいしい。いじけて、饅頭の表面の薄皮を、爪の先でつまんでピリピリはがしているところなど、いじけた心にとてもよく似合う。

そういうときの饅頭は、あんまり大きくないのがいい。形は丸くて平凡なのがいい。色は茶色のやつがいい。甘みは少しおさえめがいい。ハンコは押してないのがいい。お茶はぬるめの渋茶がいい。しみじみ噛めばしみじみと、いじけた心にしみるのさ。

饅頭をまず二つに割り、割ったアンコの断面をしみじみ眺める。

饅頭のアンコは水分が少ない。

最中《もなか》のアンコや、鯛焼きのアンコと比べてみるとそのことがよくわかる。

水分が少ないから、割るとスッパリと刃物で切ったように割れる。割った片方を口の中に放り込む。水分が少ないから、口の中でしばらくの間モクモクモクモク噛むことになる。アンコに十分唾液がゆきわたるまで、モクモクモクモク嚙むことになる。

だが、唾液が十分ゆきわたらないうちに、いつも「もう、このへんでいいか」と飲み込むことになる。「ンッグ」と強引に飲み込むことになる。

強引に飲みこんで、舌の上に少し残ったアンコを強く味わおうとして、舌を上アゴに強くこすりつけ、その結果、「ンパッ」と、舌打ちのような音をたてることになる。

舌打ちのような音をたてたあとに飲むぬるめの渋茶はおいしい。

歯ぐきや、口の中のあちこちに残ったアンコを、渋茶が洗い流してくれる。このころになると、いじけていた心も少し元気になる。

イチゴのショートケーキ

突然ですが、目の前に赤いイチゴがのった白いショートケーキがあると思ってください。では、右手にケーキ用の小さなフォークを持ってかまえてください。さあ、あなたはこのケーキのどこから食べ始めるか。

あっ、ダメ、いきなりイチゴに行っちゃダメ。ダメって言ってるのに、あーぁ、いきなりイチゴをほじって食べちゃった。ホーラ、みなさい。まっ白なクリームの上にまっ赤なイチゴをのせて、美しくデコレーションされていたケーキの表面が、ただの白い平地になってしまった。

しかも、イチゴを掘り起こした跡は、醜い傷跡となってしまった。

イチゴは、白いクリームの上の赤い景観として、中盤まで残しておくべきだったのだ。

でも、〝いきなりイチゴ〟の人にも言い分はある。「早めに片づけて早くラクになりた

かった」と。

では、どこから行くのが正しいのか。

ここで取りあげているイチゴケーキは、ポピュラーなタイプの、先細りしている三角形のものということにする。

もともと円形だったものを放射状に切ったものだから、円周の一部をなしていた部分にはクリームがたっぷし塗られている。

そのかわり、二等辺三角形の二辺の部分は、単なる切り口だから、ここには何も塗られていない。

こういうケーキを食べている人を見ていると、十人が十人、まず三角形の先細りしている先端をフォークで切り落とし、そこから食べ始める。

「いえ、わたしはそっちからではなく、ケツのほうから食べ始めます」

という人はヘンな人だ。

だいたい、ショートケーキに、アタマとかケツとかいう概念を当てはめるところがすでにヘンだ。

あれはなぜでしょうか。なぜ全人類は、ショートケーキの先細りのほうから食べ始めるのか。

さあ、答えてください。

あ、その前に、このケーキの各部の名称を統一しておきましょう。

「三角形の先細りの部分」とか「ケツ」とか、「二等辺三角形の二辺」とか、書いててややこしくていけない。この際、世界的にも通用する正式な名称をつけてやりたい。後世に残るような立派な名称を各部に与えておきたい。

三角形の先細りの部分は、「先っぽ」でどうだろう。イチゴがのった中央のあたりは「まん中」でどうだろうか。外周のクリームたっぷしの部分は「うしろ」がいいと思う。

うん、これで後世にも残るような立派な名称が各部につけられたわけだ。

全人類はなぜ「先っぽ」から食べ始めるのか。ぼくの場合で言うと、どうもあの「先っぽ」が気になるんですね。とんがっているところが気になって落ちつかない。

そこで、先っぽにフォークを当て、しずしずと沈めていって断ち落とす。

このとき、先端から何センチあたりにフォークを当てるか、いつもかなり迷う。一回当てて迷い、そこから少し後退させ、また少し迷ってから切り落とす。最初当てたところから先端のほうに当て直すということはまずない。

断ち落とした「先っぽ」を食べる。

とんがったところが無くなると、なんだか急にラクになるんですね。

ラクになったところで、もう一回、「第二次先っぽ」を攻める。

そうすると、イチゴのま下あたりまでけずり取られる。イチゴはいまやまさに、断崖絶壁の上の赤い家だ。

次にイチゴのまうしろを断ち落とす。

そうするとイチゴは、こんどは絶海の孤島の上に建つ赤い家、となる。

この孤島を、うんと大口あけて、あんぐりと一挙に口の中に放り込む。

ここんところが、イチゴケーキのダイゴミなんですね。スポンジケーキのフワフワの甘みと、クリームのヌメヌメと、イチゴの酸味が口の中で混ざりあい、しばしうっとり、しばしにんまり、ダイエットのことを忘れる一瞬だ。

というように、各部の味をそれぞれに楽しんで食べることを知らない人もいる。そうです、おじさんです。喫茶店などで、何人かのＯＬの中におじさんが一人混ざり、ケーキを食べているという光景をときどき目にする。

こういうおじさんです、いきなりイチゴから行くのは。

そのあとは、「先っぽ」も「まん中」も「うしろ」の区別も何もなく、いきなりどまん中にフォークを突っこんでの、すくい食い、ほじり食い、つぶし食い、こそげ食い、の落花狼藉。

ケーキは見るも無残にぐっちゃぐちゃ。それに、おじさんは速いんですね、ケーキを食べるのが。

どんなケーキでも、だいたい三口で食べて、アッというまに無くなる。

ショートケーキの魅力はぬめりにあります。口の中でぬめる。シロップがしみてしっとりとなったスポンジケーキに、クリームがからまって舌の上でぬめり、口の中全体で甘くぬめる。

口の中で、カステラのような味がして、クリームの味がして、ミルクの味がして、リキュールの味がして、その全体がぬめぬめと甘くぬめる。

嚙むところはどこにもなく、舌はぬめぬめの中を自在にぬめりまくる。

このとき、誰もの顔がうっとりとなる。（おじさんを除く）

一個でモリソバ一杯に匹敵するカロリーのショートケーキだが、その魔力は強大で、ダイエット中の人でも、

「もうどうなってもいい」

と、すばやくもう一個に手を出すことになる。

中国の味

中国へ行ってきました。

西安、桂林、蘇州、上海とまわり、最初の西安の夜は薬膳料理ということになった。

西安は、中国のちょうどまん中辺にあたり、例の、秦の始皇帝の兵馬俑《へいばよう》が発掘されたところであるとともに、シルクロードの東の出発点でもあります。名所旧跡がたくさんあり、日本でいったら京都といったところかな。

街にはタクシーが走り、自転車が走り、十四階建てぐらいのビルも二、三ある、という観光都市です。

その西安の「唐華賓館」というホテルの中の中国料理店の薬膳料理が有名なのだそうだ。

薬膳料理とは何か。

中医学、中薬学の理論によって、薬物と特定の食物を配合させ、特殊な調理法で仕上げた料理なのだ。

薬物といっても、これも食べ物で、クコとかナツメとかクルミなんかも薬物の仲間らしい。

要するに、早い話が、〝カラダにいい食物を食べる〟ということなんですね。

だって、ひとたび薬膳の手にかかれば、ナスもカボチャもキユウリも〝薬食い〟の一種ということになる。

ナスの効能は、養血散血、コレステロール低下、鎮痛に効ありということになり、カボチャは、消痰止痛、解毒殺虫に効ありということになる。

つまり勲章の乱発ですね。ナスにもキュウリにもカボチャにも、勲四等とか勲八等とかをどんどんあげちゃう。ナスもカボチャも大喜び、めでたし、めでたし、というような料理だと思えばいい。(ちがうかな)

「唐華賓館」の薬膳料理とはどんなものか。

まず前菜。

日本の中華料理の前菜というと、クラゲ、ハム、蒸し鶏といったところが定番だが、さすが本場の薬膳となると大いにちがう。

鯉の甘煮の小片、牛肉(ハム風)、アヒルの皮つき肉、豆腐の小片黒ゴマかけ、ザクロの種の五種が一つの皿に盛られて出た。

鯉やアヒルや牛肉の味つけは、いわゆる中華風の甘から味で、特に変わったところはない。

しかし薬効のほうは大変なもので、この五種を食べることで、消化促進、利尿、胃腸機能調整、体力増進、美肌、白髪防止、肥満防止、微熱下降、整腸、ということになる。

ちょっと町内をホウキで掃いただけで、勲一等大綬章やら、勲七等青色桐葉章やらをどっさりもらったようなものだ。

次がタツノオトシゴ入りのスープ。

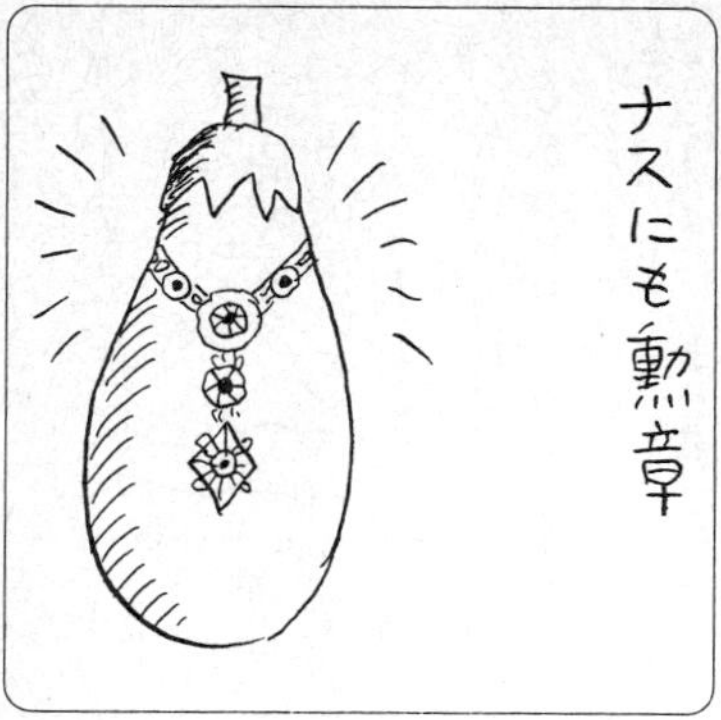

大物登場である。

小さな器の中に、タッちゃんとアワビとチンゲン菜が入っている。

メニューの薬効のところを見ると、「老化防止」としか書かれていない。

せっかくの大物が、町内を掃いて空カンを拾って、ドブも掃除したのに、木盃を一個もらっただけ、というようなものではないか。

タッちゃんは身長四センチ、干物となっていて嚙むと小石を嚙んだようにジャリジャリする。嫌な歯ざわりで、ちょっと苦みもあり、早い話が、うまくもなんともない上に迷惑、といったしろものだ。

三番目が鳩の肉の細切りとカシューナッツの細切りを油で炒めたもの。味は甘から。鳩の肉の一片も極めて小さく、肉の味を味わうという料理ではないようだ。薬効は、滋養強壮、視力低下防止。

次がまたスープだが、これは〝薬膳界の三役揃い踏み〟とでもいうべき強力メンバーの登場である。

冬虫夏草、烏骨鶏《うこっけい》、猿の腰かけ、それにナツメの実が入っている。冬虫夏草は、何のスポーツ大会だったか忘れたが、中国の選手がこれのスープを飲ん

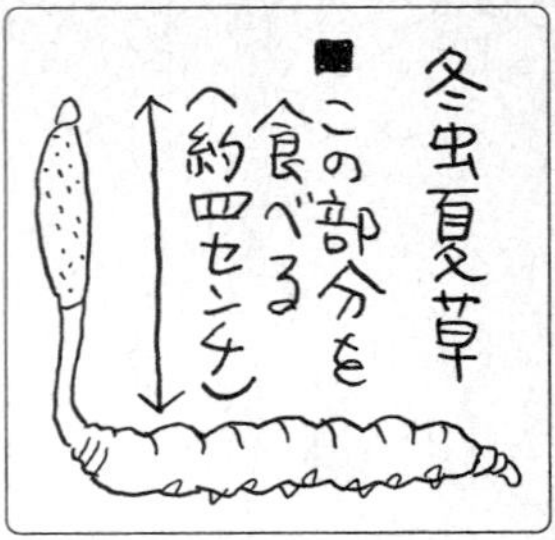

で大活躍して評判になったものだ。

　その後日本でも、冬虫夏草ドリンクやら冬虫夏草入りクッキーやらが発売されている。冬は虫だが、その虫にキノコが寄生して夏にはキノコとなったところを採取する。

　これを食べるととにかく効く。あっちにも効く、こっちにも効く、という薬膳界の超大物だ。

　味は何とも情けないもので、木の根を干して戻したような、戻らなかったような、歯ざわりはプチプチとカリカリとブッブツの入り混じったような感じだ。

　烏骨鶏は肉もまっ黒な鶏で、この卵を伊勢丹で一個五百円で売っているのを見たことがある。肉の味はふつうの鶏と大差はない。

　猿の腰かけは茸の一種で、これもあっちにもこっちにもガンにも効くというしろもので、『壮快』などの健康雑誌の広告の常連だ。

　〝硬めのしめじ〟といった味と歯ざわりで、特に変わった味はない。三役で、強壮、老化防止、血糖値降下、眼精疲労回復などの効果がある。

　スープの味は、さっきのタッちゃんのスープもそうだが、薄い塩味で、薬草風の匂いがあり、鶏ガラスープ風の油が表面に少し浮いている。

料理と料理の間に薬酒が出る。茅台酒《マオタイしゅ》のような強烈な匂いのものから、金木犀《きんもくせい》のような香りの甘いものまで全部で六種類。ときどき解説者が出てきて料理や薬効の解説をする。

このあと、羊の乳、トウガン、それからスッポンと朝鮮人参と霊芝《れいし》の入ったスープ、そしてデザートとなった。

羊の乳は、がっかりするほど牛乳と同じ味だった。

この夜の料理は、まさに強壮につぐ強壮、滋養につぐ滋養の連続であった。翌朝の効果のほどはどうであったか。帰ってきてからすでに一週間経ったが、いまだに何も音沙汰もなく、音信不通の状態が続いている。

中国ラーメン事情

中国をひととおりまわってきて（上海、蘇州、桂林、西安）、中国各地のラーメンのたぐいを食べまくった結果（六杯）、はっきりと、

「中国のラーメンはまずい」

と断言するものであります。

広大無辺の中国の、たった四か所と、たった六杯で、そんなことを断言していいのか、というご批判に対しては、はっきりと、

「いくない」

と断言するものであります。

いくないが、今回は、四か所と六杯で、一応の結論を出さなければならない。無理を承知の結論と、ご理解いただきたい。

六杯食べた結果で言うと、どうも日本人と中国人では、麺に対する考え方が根本的にちがうような気がする。

日本人は、麺にとりあえずコシを要求する。

絶大多数人民要求弾力的麺

というわけですね。

うどんだろうが、ソーメンだろうが、ラーメンの麺だろうが、コシのないものはとりあえず敬遠される。ところが中国の人は、麺にコシを要求しないようだ。じゃあ、何を要求しているかというと、何も要求しないらしいのだ。大陸的におっとりと、

(好きなようにしていていいよ)

と言ってるようなのだ。

絶大多数人民要求之外弾力的麵

ということのようだ。

ツユの中で、なんとなくみんなでからまりあっていてくれればそれでいいよ、と鷹揚《おうよう》に構えているようなのだ。食べた六杯、ことごとくゆるゆる麵、コシなし麵、フニャフニャ麵だった。たとえていうと、熱湯三分的容器麵を、熱湯十分的放置後に食べるというような麵ばかりだった。

それから、どの麵にもカン水は使われていなかった。つまりまっすぐ麵なのだ。ほとんどうどんで、うんと細いのもあれば、やや太めのものもあり、平べったいものもあった。

スープはどうか。

これがまた、はなはだ魅力に乏しいのである。食べた六杯は全部塩味のスープで、醬油系は一杯もなかった。塩ラーメンのスープから、ダシとコクを取り去った、というようなスープで、かすかに鶏ガラ系のダシの味がする程度だ。

中国全土的には、もちろんいろいろなスープがあるようだ。醬油味のものもあるし、四川風味噌味もあるし、石毛直道氏の『ハオチー！　鉄の胃袋中国漫遊』という本を読んでいたら、上海の街で、カレーラーメンを食べた話が出てくる。

日本のラーメンのような、具の思想もあまりないようだ。

麺の上にのせるのは、牛肉なら牛肉、鴨肉なら鴨肉、あるいは挽き肉なら挽き肉といったような、

包括的大概風潮具一品主義
が一般的で、この主義に対しては、
我好的感情非抱懐
であり、

我的見解具三品以上主義
ということになる。

ぼくの食べた六杯は、いずれも具はのっかっていなかった。

西安で食べた麺は、ガンモドキの小片と細くて青いネギの小片が混ぜこんであったし、蘇州のは中国ハムの小片とネギ、桂林のはネギのみ、といったように、混ぜこみ方式の麺ばかりだった。つまり、日本の混ぜ御飯の感覚なんですね。

もう何度も言われていることだが、日本のラーメ

ンに相当するものは中国にはない。少なくとも、ダシの効いた醤油味のスープに、メンマ、チャーシュー、ノリののった麺はない。

麺類に関しては、はっきり考え方がちがうようだが、チャーハンに関しては日本と同じというところがおもしろい。チャーハンもあちこちで食べたが、米がちがうだけで、作り方はまったく同じ、味つけもまったく同じだった。

西安の街の夕暮れは、煙のような霧が街中にただよっていて、街灯も少なく街の中心を少し離れると街全体がうす暗くかすんでいる。そういう街のあちこちの店先で、食べ物屋の主人が店先に台を持ち出して、手打ち麺の実演をみせている。手で引っぱってはたたきつけ、二本が四本、四本が八本というふうに増やしていく打ち方だ。

その主人の横で、シュウマイやマンジュウを蒸す白い湯気が吹きあがっている。それがいかにも〝西安の夕暮れ〟という情緒をかもしだしていた。

日本のラーメンは、この〝引っぱり方式〟の麺が起源だという説があるが、どうもそれだけではないような気がする。大陸的にボーッとして、ただツユの中でからまりあっていただけの麺を、日本人が鍛えあげ、根性を入れ、しっかりしろと励まし、教育しなおしたのが日本のラーメンなのだ。

そうして、コシ重視、コシ第一主義をたたきこんだのだ。スープのほうにもダシ、コクの思想を取り入れたのだ。

よく考えてみると、たかが一本のうどんやそばに、日本人はずいぶんといろんなものを要求したものだと思う。

やれコシを入れろだの、やれちぢれろだの、のびるなだの、ノドごし大丈夫かだの、歯ごたえ頼むぞだの、しっかりしろだの、考えうるかぎりのことを要求している。うどんの身になってみればずいぶん過酷な要求と言える。我が身はただ一本の小麦粉のかたまりだ。そんなにいろいろな要求に応えられるわけがない。中国にいるときは、ただツユの中で、のびのびとからまりあっていればそれでよかった。

「日本にきたばっかりに」

という嘆きが、ちぢれた麺から聞こえてくるような気がする。

蘇州の上海がには？

蘇州では上海がにを食べた。

蘇州は上海から列車で約一時間。

JR中央線の、東京―高尾間といったところだろうか。

蘇州というところは、そうです、あの「蘇州夜曲」の蘇州です。

〽君がみ胸に抱かれてきくは＊ー

の蘇州で、

「李香蘭いかったねー」

の蘇州です。なんのことだかわからない人は、わからないでいいです。

蘇州は、お寺や池や名園やお土産屋や川がいっぱいあって、なんとなく上野公園界隈を思い出させる。その蘇州の「南園賓館」というところで上海がにを食べた。上海がに

は、日本における松たけのような存在であるらしい。旧暦の十月（だいたい新暦の十一月）ごろからいっせいに市場に出回り、街の人は待ちかねたように上海がにを食べるそうだ。

テレビのグルメ番組などで、手足をワラで十文字に縛られたかにが、店先に山積みになっているのを見かけたことはありませんか。あれが上海がにです。季節ものであるということと、値段も高く、まあ、年にいっぺん、見栄張って食ってみっか、というところが松たけと似ているらしい。

男女半々ぐらいの、十一人の

グループでテーブルを囲んだのだが、紅色に茹であがった上海がにが、山積みになってテーブルに運ばれてきたときは一同の口から喚声があがった。

テーブルの上には、最初に手を洗う（第一水）と、食べ終わってから洗う（第二水）の入ったボールが出ている。第一水はただのお湯だが、第二水にはお茶の葉っぱのようなものが沈んでいる。

お店のおねえさんが、たどたどしい日本語で、

「まず、こうしてハサミを二つはずし、それから足を全部はずします。それからこうしてフンドシをツメで起こしてはずし、次に表の甲羅をこうはずします」

と説明する。かにというものは、どうやらはずしてばかりいるもののようだ。はずしては食い、はずしては食いするものではなく、はずれるところは最初に全部はずしておくのが正しいらしい。

丸いテーブルを囲んだ総勢十一名は、おねえさんに言われたとおり、あちらをはずし、こちらをはずし、テーブル一帯は、さながら内職工場のような風景となった。はずしたハサミや手足は、奥歯でかじって割る。器具はいっさい使わない。

上海がにのハサミや手足は、トゲトゲがある上にかなり硬い。トゲトゲを避けつつ奥歯でかみ割るには、ある程度の顔面の凶悪化は避けられない。総勢十一名のテーブル一帯は、こんどは、内職工場が急に倒産して一同切歯扼腕《せっしやくわん》するの図、という様相となった。

上海がには小さい。手足もふくめて手のひらぐらいの大きさだ。足はエンピツより細いから、その中の身は、苦心して掘り出してもヨウジぐらいの大きさしかない。

ミソの部分は確かにおいしい。ウニのようではあるが、ウニよりネットリしていてほの甘く、かに特有の香りがある。が、いかんせん親指の爪ほどの量しかない。足のほうも、一本目は真剣に歯で割り、真面目に足の隅までヨウジで掘り出して食べたが、フーン、これが世に名高い上海がに？　ヘーエ、フーン、というほどのものであった。

もっとおいしいかに、いっぱいあるじゃん、というようなものであった。

二本目もなんとかかじり、ほじり、食べると、(もう、いいや) という気になった。

いかんせん、苦心して掘り出す苦労に対する報酬があまりに少ない。

第二水で手を洗って紹興酒を飲む。かにを食べたあとに飲む紹興酒は、どういうわけか格別ウマい。

紹興酒を飲みつつ周りを見まわすと、一同はまだ熱心に足をほじっている。それを見ているうちに、

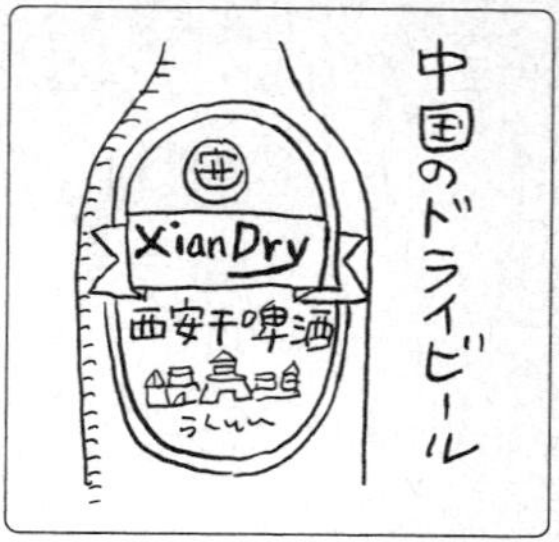

なんだか自分だけ損するような気がしてきて、せっかく第二水で手を洗ったのに、また残りの足に手を出してしまう。

再び足をほじってはみるものの、すぐに、多大努力的格闘反比例報酬、の法則に気づき、作業を中断してこんどはビールを飲む。

ビールは啤酒《ピージュー》といい、各地でいろいろな銘柄のビールを飲んだ。

五星啤酒、上海啤酒、西安干啤酒などあり、西安干啤酒の干はドライのことだという。

ラベルには、干の字のほかに、ちゃんとDRYの文字も見える。

中国でも、最近ようやくDRYビールが流行のきざしをみせ始めたそうだ。

ビール、紹興酒のほかに、ノンアルコール飲料としてコカ・コーラ、スプライト、セブンアップをよく見かけた。

コカ・コーラは可口可楽、スプライトは雪碧、セブンアップは七喜と書く。

ビールを飲みつつ周りを見まわすと、一同はまだ熱心に足をほじっている。途中、ほじった身をいっさい口にせず、小皿に、ほじってはためこみ、ほじってはためこんでいるおばさんもいる。それを見ていると、またしても、周辺皆幸福我損害甚大の思いがこみあげてきて、第二水で手を洗ったのにまた残りの足に手を出してしまう。と、いうようなことをくり返して、結局、足十本、ハサミ二本、ことごとく、我究極的全足全鋏全制覇、ということになってしまった。

全足全鋏小皿全溜込、のおばさんの成果はどうであったか。どのくらいの量であったか。

それがお猪口一杯なんですね。

かにを食べるとおなかが冷えるとかで、そのあと生姜湯というものが出るのだが、お猪口一杯でおなかが冷えるか？

＊「蘇州夜曲」西条八十作詞

チクワブの謎

木枯らしの街を歩いていて、いきなり、

「お忙しいところすみません。おでんのタネを一つずつ挙げてってください」

と言われたら、日本人なら大抵の人はまず立ち止まり、指を折りつつ、

「まずチクワでしょ、ハンペンでしょ、コンニャクにガンモに……」

と数えだすはずだ。

日本人なら必ずそうする。

いや、わたしは忙しいのでそういう質問は無視する、という人に対しては、わたしも忙しいのでそういう人を無視して話をすすめる。

そうやって、

「焼き豆腐にツミレにサツマ揚げに大根にタコに厚揚げ……」

と挙げていっても、いつまでたっても出てこないのがチクワブではないでしょうか。そういえば、そんなのもあったね、なんて興味なさそうに言われてしまうのがチクワブだ。

わたし、チクワブ好きでんねん。

チクワブ、いいやつでんねん。

地味でひかえめで、いつも人のうしろにひかえているようなところがある。

おでんの鍋をひとわたり見回しても、チクワやタコやコンニャクはひと目でわかるが、チクワブはどこにいるのかすぐにはわからないところがある。

ホラ、会社の旅行なんかで記念写真を撮ると、いつも決まってまん中に陣取る人っているでしょ。どの写真を見てもまん中にいる。

一方、どの写真を見ても、いつもはじっこにいて、顔が半分しか写ってない人もいます。こういう人は、どの写真を見ても顔が半分しか写ってない。

そういうヒトなんですわ、チクワブはんは。

チクワブはんがそういう生き方をするようになったのにはわけがおます。

おでん鍋の中の世界は、ガチガチの閥社会だということは誰でも知っている。最大派閥が、チクワ、ハンペンなどの魚肉練り物閥。そして次が、ジャガイモ、大根などの野菜閥。豆腐、ガンモなどの豆腐閥。タマゴ、バクダンなどのタマゴ閥。

一方、含羞《がんしゅう》の人チクワブはんは、全身くまなくうどん粉でできている。

おでんの中に、うどん粉閥というのはない。

どうしてまぎれこんだのか、チクワブは閥社会の中でたった一人で頑張っているのだ。

たとえば東大閥でかためられている大蔵省に、たった一人、山梨学院大が頑張っているようなものだ。

大蔵省とおでん鍋をいっしょにしていいのか、と東大の人に怒られるかもしれないが、山梨学院大、わたし好きでんねん。

それればかりではない。

チクワブはほとんどの辞書に載ってない。つまり、その存在を認められていないのだ。チクワブは辞書には無視されているが、落語にはちゃんと出てくる。

「おっ、この店は本物のチクワを使ってるじゃねーか。てーしたもんだ。こないだ食った店なんかチクワブだった」

というふうに、チクワブの代用品として出てくる。チクワブは江戸時代からあったのだ。

そんな古い歴史を有しながら、チクワブはなぜ人々に認められないのか。

チクワだと思ってもらってもいいし、麩だと思ってもらってもかまいまへん、という二股かけたところが嫌われたのだろうか。

チクワブは
ここから
食べるのが
正しい
のよねー

　たしかに形は、まん中に穴があいていて、一見チクワに似ている。

　しかし、成分はうどん粉だから麩に近いともいえる。

　だが、よくよく味わってみると、これは一種のうどんだ。きわめて太いうどんだ。しかし、まん中に穴があいているからマカロニともいえる。

　部分、部分でみれば、これは明らかにスイトンだ。

　ということは、チクワブはスイマカドンだという

こともできる。

食べてみると、まさにこの三つの味がする。

チクワブは、おでんで煮るときは図のように、一方をナナメに切る。このナナメの先端は、他の部分より柔らかく、他の部分より味がよくしみこんでいる。

食べ方としては、まずこの部分をパクリとやるのが正しい。この部分は味が濃いから、いってみれば〝おかずの味〟だ。

ここをパクリとやって、熱燗をチビリとやる。次が根幹部だ。

ここをパクリとやると、まず表面のギザギザのトップの濃いめの味がして、それから急にうどん粉の味になる。

あんまりツユの味がしみこんでないうどん粉の味、すなわち急に〝主食の味〟になる。

ここんところがおいしいんですね。

何も狙ってない素朴な小麦粉の味。

メチャメチャ太いうどんの味。

チクワの形をしたスイトンの味。

農耕民族原点の味。

いやいや、農耕に漁業がしみこんだ味。ギザギザの山のてっぺんにしみこんだおでんのツユの味を〝おかず〟にして、中心部の〝主食〟をモクモクと味わう。

口の中のうどん粉のかたまりは、いつまでもモクモク、モクモクと、何も狙わないうどん粉の味を楽しませてくれる。一見、何気ないギザギザは、かくも大きな働きをしていたのだ。

このギザギザの山はいくつあるか知ってますか。正解は八つです。紀文のも兵藤のも町の豆腐屋のも全部八つです。

これは昭和八年に、ＪＩＳ規格で「山が八つ以外のものはチクワブとは認めない」という決定がなされ、それに従ったものだ。(ウソです)

「土佐っ子」ラーメン恐るべし

東京都のまん中をドーナツ状に回る道路、環状七号線。通称カンナナ。

この道路沿いに立ち並ぶラーメン屋を環七ラーメンと呼ぶ。

この環七ラーメンの元祖とでもいうべき存在が「土佐っ子」だ。テレビや雑誌のラーメン特集の常連である。

営業時間、夕方の六時から翌朝四時半まで。夜中にこの店の前を通ると、突如現れる十七個のチョーチンの明かりと、その明かりの下にうごめく大勢の人の群れに驚かされる。

この店の常連は、長距離トラックやタクシーのドライバー、そして夜のドライブを楽しむカップルたちだ。

この店のラーメンは、あらゆる意味で変わっている。ラーメンも変わっているが、店

の仕組みも変わっている。

常識ではちょっと考えられないようなところもある。そのラーメンと、この店の仕組みを、以下、簡潔にハードボイルドタッチで説明していく。

「土佐っ子」ラーメンの特徴は〝超濃厚〟だ。

どういうふうに超濃厚かというと、豚の背脂による超濃厚なのだす。

あれ？　突然文体がヘンじゃないか、と思うかもしれないが、このハードボイルドは、関西弁タッチのハードボイルドなのだ。

だからこれでいいのだ。わては浪花のハードボイルドだす。

なんだかよくわからないまま、話は進行していく。

この店のスープは、豚の背脂、鶏ガラ、玉ねぎ、干ししいたけ、ニンニク、昆布だ。ニンニクは一日十キロから十五キロ使う。そう公式発表されている。「土佐っ子」ラーメンの最大の特徴は、この背脂にある。丼にスープを張り、麺と具を入れたあと、さらにその上から豚の背脂をバサバサとふりかける。

どうふりかけるか。

店内にあるスープ用の寸銅鍋は五つ。この五つのうちの一つが、背脂専用だ。この専用鍋の中に、煮こんでグズグズになった背脂のカタマリがたくさん入っている。

このカタマリを、金網の網ジャクシですくいあげ、その上に大きなヒシャクをかぶせて押さえる。これを丼の上でバシャバシャと上下に激しく振る。

背脂は崩れ、網ジャクシの網を通るとき五ミリぐらいの粒状になる。

この五ミリぐらいの粒状の脂が、スープの表面に五ミリぐらいの層をつくる。この脂のツブツブを、客はスープと共にズルズルとすすり込む。

あに、濃厚ならざるべけんや。

脂をふりかけられる丼は常に十二個。ヨコ四列、タテ三列、きっちりくっつけて並べる。

その左はじから右はじに、個別という概念を抜きにして振りかけていく。

つまりタコ焼き方式だ。タコ焼きも一つ一つの穴に小麦粉をそそぎ込むわけではない。その結果、穴と穴との間にもドロドロの粉はふりそそぐ。

タコ焼き方式で豚の背脂を丼にふりかけるとどうなるか。

ラーメン丼と丼の間、ラーメン丼のフチというフチに脂はふりそそぐ。

丼の外側の側面にも脂は飛び散ってはりつく。すなわち、丼のあらゆる面が脂まみれになる。

この脂まみれのままの丼を、店員は「どうぞ」と客の前のカウンターに置く。この店の初心者は、ここでのけぞる。われ、いずくんぞこの丼にさわることを得んや。

ふとカウンターの上を見ると、五十センチ間隔で、二段積みのティッシュが置いてある。常連はこのティッシュをまず三、四枚ズルズルと抜きとり、これを丼にあてがい、とりあえず手前に引き寄せる。カウンターもところどころスープで汚れているから丼のスベリはいい。

引き寄せたらティッシュを、丼の上のフチと側面と下端部に行きわたるように上手に操作してようやく手で持つ。

女性客にはレンゲをくれるが、男性客にはくれないから、こうしないとスープを飲むことができない。

ふと気がつけば、タイル張りの床も脂でヌルヌルしていて、足をふんばるとツルッといきそうだ。この丼を手に持ったままツルッといった場合どうなるか。考えただけでも恐ろしい。

この店の出来ますものは、ラーメン（六五〇円）とチャーシューメン（八五〇円）だけだ。店内はカウンターだけの立ち食い方式で、カウンターの長さは十メートルはある。

店に入った客は、まずカウンターの左はじに行く。すると「店の左側でお金を払い、はしを受けとってください」という貼り紙に気づく。ラーメンかチャーシューメンかを申告して箸をもらう。
箸は一度に十二人分ずつ渡す。
箸の先端には、赤いシルシがついていて、この「赤組」の十二人の次の十二人の客には、シルシのない箸を十二人分渡す。
とりあえず「赤組」は赤い箸を持って店内に散る。最初にできあがった十二杯を、店員は赤い箸を目印に渡していく。

次の十二杯を、シルシなしの箸を目印に渡していく。

黒い革ジャンのこわそうなおっちゃんも、カップルのコギャルも、耳ピアスで茶パツのニイチャンも、みーんな赤い箸を一コずつもらって、ジーッと黙って店のそこここにたたずんでいる。赤組の幼稚園児のようにおとなしく待っている。

この店の麵は、中太のかなり黄色いモチモチ麵だ。メンマに多少問題はあるが豚バラ肉のチャーシューはかなりウマい。スープは、脂好きの人にはこたえられまい。

雑誌などのこの店のラーメンの写真は、丼のフチがどれも白くきれいに写っているが、どうやって撮ったのだろう。

シュウマイの憂い

人生がつまらない、というときはシュウマイを食べましょう。

そういうときにシュウマイを食べると元気が出る、というのではない。

人生がつまらないとき、シュウマイがつき合ってくれる。人生いやんなっちゃった、というようなときってありますよね。

そういうときはシュウマイに限る。

シュウマイって、なんだかつまらなそうじゃありませんか。

シュウマイを四つほど皿に盛って、一つずつジーッと見つめてみましょう。みんな、じーっとしていて、黙然としていて、ひっそりしている。内省的な感じもある。

右側に少しかしいで、そのまま考えこんじゃってるのもいるし、うつむいて沈みこんでいるのもいる。

うずくまっているそれぞれが、孤独感をただよわせている。四つ揃っていながら、みんな勝手な方向を向いていて、連帯感がまるでない。ギョウザの元気、ギョウザの整然、ギョウザの連帯感と較べてみると、その違いがよくわかる。

皿の上でつまらなそうにしているシュウマイと、人生いやんなっちゃった人と、なんだか話が合いそうだ。

啄木の〝友がみなわれよりえらく見ゆる日よ　花を買ひ来て妻としたしむ〟という短歌の、〝花〟のところを〝シュウマイ〟に、〝妻〟のところを〝一人〟

にしてみましょう。

ほうら、雰囲気がピッタリ。

〝シュウマイ買いきて一人親しむ〟

ほうら、少し哀切で、少しほほえましくて、人生いやんなっちゃったときにピッタリじゃないですか。

たとえばこんな設定がいいな。

窓があって、窓の向こうに枯葉が風にふるえていて、テーブルがあって、テーブルの上に皿があって、シュウマイが二個のっかっている。

長い沈黙のあと、

「人生って、なんだかつまらないなあ」

とつぶやく。

するとシュウマイが、

「わたしも人生つまらなくて」

と応じてくれる。

わたしはヨージを一本取って、つまらなそうにシュウマイに突き刺す。この場合のシュウマイは、崎陽軒ほどの、一口で食べられる大きさのものがいいな。

つまらなそうに突き刺し、つまらなそうに口のところへ持っていき、つまらなそうに放り込み、つまらなそうに口を動かす。シュウマイは、つまらなそうに食べるとおいしいんですね。

おいしそうに食べるとおいしくない。だいたい、シュウマイを、おいしそうに、喜色満面で食べてる人って見たことありますか。

みんなつまらなそうに食べている。

シュウマイを食べるときは、顔面の筋肉が活躍しない。最小限の動きでこと足りる。それがつまらなそうに見えるのかもしれない。

また、食べているうちに、だんだんとつまらなくなってくるところも、シュウマイにはあるんですね。

一つ、二つと食べていくうちに、どんどんつまらなくなってくる。

食べ始めと、嚙んでいる途中と、嚙み終わりがズーッと同じ味だ。

最初元気だった人も、シュウマイを三つ、四つと食べているうちに、だんだん世の中がつまらなくなってくる。

ね、ここがシュウマイの狙いなんです。世の中が

崎陽軒の「シウマイ」のショーユ入れ
コルクがつぶれくい

つまらなくなったときが、シュウマイの出番なんです。

「つまらないときの友こそ真の友だ」

とラ・ロシュフーコーも言っている。(わたしはそんなことは言ってない——ラ・ロシュフーコー)

シュウマイは、挽き肉と玉ねぎと、つなぎの小麦粉と皮で作られる。

材料的には野菜の少ないギョウザのようでもあり、ハンバーグを焼かないで蒸したもののようでもある。

不思議なことに、シュウマイは上等の挽き肉だけで作られたものはかえっておいしくない。小麦粉たっぷしの、安もののほうがかえっておいしい。皮も大きめで、上のほうに少し余ってピラピラしているほうがおいしい。

この〝皮ピラピラ〟が口の中でピラピラしておいしい。

肉ぎっちり、皮ピッタシのものは味が単純で物足りない。

〝シュウマイにカラシ〟というのも、誰が思いついたか知らないが実に有効だ。シュウマイのカラシは、一つ一つにつけるより、醤油に溶いてカラシ醤油にしたほうがなぜかおいしい。

シュウマイの食べ方は単純だ、と書いたが、シュウマイ揚げに限っては単純どころではない。湯気のあがるアツアツのシュウマイ揚げが、おでんツユと共に小皿に盛ってある。これをいざ食べようとするとき、誰もが、さて、どこにどうかぶりつこうか必ず迷う。

いざかぶりついたあとも、このまま噛んでいいものかどうか必ず迷う。

歯に当てたとき、これから起こる様々な展開が一瞬脳裏をよぎる。

グズグズになった内部のシュウマイの露出、崩落、散乱、ツユの滴下、唇のアチチ……。そして事態はそのとおりに展開する。一口目こそ、皮のサツマ揚げの部分と内部のシュウマイをいっしょに食べることができるが、二口目からは両者は離ればなれになる。

二口目は、散乱したシュウマイを拾い集め、皮の内部に収納して修復し、なんとかいっしょにして食べる人と、別々に食べる人とに分かれる。

最後に、ツユの中に散乱したシュウマイの破片を、ツユといっしょにジュルッとすすりこむと、顔は思わずニッとなって、人生もこれで捨てたものじゃないな、と思う人と思わない人とに分かれる。

地ビールは地ビールまつりで

地ビール元年といわれる平成七年の暮れ、〝全国地ビールまつり〟が開催された。地ビール元年の総括、ということなのだろうか。会場は東京・晴海の東京国際見本市会場。期間は十一月三十日から十二月二日までのたった三日間。

国内から十一社、アメリカから一社が出品しており、出品銘柄は二十七種。地ビールというものを一度飲んでみたい、と思っている人は多いと思う。だが地ビールは、生産地まで出かけて行かないと飲めない。

その費用、労力、時間は大変なものだ。その地ビールが一か所で二十七種類も飲めるのだ。こんなチャンスはめったにあるものではない。いまや地ビール評論家として、その地位を確立しつつあるあの懐かしのイケベ大記者と、いざ行かん〝地ビールまつり〟へ。

地ビールまつりIN東京'95
味はもうどうでもよくなっちゃったもんネ
たっぷし
鮭の白子の酒蒸し

イケベ大記者はさすが大記者らしい手堅さをみせ、

「会場にはビールだけで、おつまみがないということも想定される」

と称して、手製の〝鮭の白子の酒蒸し〟という珍しいものを、弁当箱大のプラスチック容器にたっぷし入れて持ってきた。

「ナルホド、地ビールに合うのは〝鮭の白子の酒蒸し〟というわけなのですね」

「いや、会社へ来る途中、近所の魚屋をのぞいたら、超特価品として売っていたので」

また家に戻って「蒸して」持ってきたのだという。さすが大記者、やることがわけがわからん。

話はちょっと変わるが、われわれがふだん飲んでいる大手四社のビールは、ドライやら、一番搾りやら、いろいろあるが、すべて「ピルスナータイプ」という一種類のものだってこと、知ってました?

くわしいことを述べている余裕はないが、ビールの種類は千種類以上あるそうだ。『地ビール物語』(増山邦英著)の受け売りだが、ペールエールとか、トラディショナルビターだとか、ハーブビール、小麦ビール、ボック、フルーツビール、それからビールをスモークしたスモークドフレーバービールというものまであるそうだ。

ビールはふつう大麦でつくるが、小麦でつくるものもあるのだ。

一国の全国民が一種類のビールしか飲まないというのは、文化として痩せているとしかいいようがない。

いざ行かん〝地ビールまつり〟へ。行きてまだ見ぬビールを飲まん。

晴海の会場は、わりに小ぢんまりしたつくりだった。いかにも〝地ビール〟らしいつくりでかえっていい。

会場の隅に、十二社のカウンターが横一列に並んでいる。一番右はじが「オホーツクビール」で、「パブブルワリー川口」「赤坂地ビール」「御殿場高原ビール」「ヤマトブルワリー」「大阪国乃長ビール」と続いていって、最後の一番左はじが九州の「ゆふいんビール」になっている。北から順次、南へと向かって並べたようだ。

一社のカウンターの幅は二メートル強だから、十二社で三十メートル弱だ。

距離的には大したことないが、右はじから順次飲んでいくと、三十メートル移動しおえたときにはグデングデンになっている可能性がある。

イケベ大記者は、スタート地点の「オホーツクビール」の前に立って、「行けるところまで行ってみましょう」と落ちついている。

ビールグラスは、どの社もやや大きめのワイングラス風のもので統一されている。約三〇〇ccとみた。値段はどの社も六〇〇円均一。もし二十七杯全部飲むと八リットル。大ジョッキ七杯強だ。

「全部飲まないで、一口ゴクリで次にいく、そういう方針でいきましょう」
「このオホーツクは、ぼくが最も気に入っている地ビールの一つです」
イケベ大記者の解説を聞きながら、グイーッとグラスを傾けると、アレ、アレ、そのままグラスはどんどん傾いていってアッというまにからになった。

見なれないビンを
見るとなぜかウレシイ
「深大寺ビール」発売
HOPPY
深大寺ビール
BEER

「うまい」

ややこげ茶色の「オホーツクエール」は、苦み少なく、ツンとくるホップの香りがあり、ノドを通ったあとに甘味が残る。次が「川口のボック」。アルコール度八パーセントで色も濃い。苦くて味が濃いがギネスほどではない。

続いて「赤坂のピルゼン」。

これもアルコール度六パーセントと高く、濃厚タイプのビールだ。炭酸も強め。

と、この辺までは、いちいち味の違いを一つ一つ探求していったのだが、なんだか急にどうでもよくなってきた。酔いが勃然とまわってきたのだ。

移動距離はいまだ七・五メートル。

三十メートル完走はムリ、と判明したので、次はイケベ大記者推奨の「ゆふいん」へ突如飛んだ。

「ゆふいんヴァイツェン」がよかった。やや黄色味をおびた薄い色で、少し白濁した感じもある。プラッシーという飲み物がありましたね。まさにあんな色あい。飲みやすく、やわらかく、キレがあり。清涼感があり、ソフトドリンクみたいにいくらでも飲める。

もう一つ頑張って、「地ビール三田屋・揮八郎スモーク」に挑戦する。これは、もう、あれです、ウイーッ、つまり、ホラ、黒ビールがあるでしょ、あれをスモークしたらこんな味になるのだろうな、というのを想像してください。そのとおりの味なんです。

ツマミはありました。イカクンとか、スモークサーモンとか。

しかし、ヘンな話ですが、家に帰ってきて、風呂に入って、改めてふだん飲んでるふつうのビール飲んだら、これがまたウマかったんですね。

カツサンドの法悦

「サンジェルマン」とか「アンデルセン」といったたぐいのパン屋さんで、パンやサンドイッチを買うのは楽しい。

まず店の入り口でトレイを取り、これを左手に持ち、右手でトングを取る。これをハサミのようにパクパクさせながら、

「さあ、そのへんにあるもの、なんでもはさんでやるぞ」

と獲物を求めて歩き始める。

まずカレーパンをはさみ、ウインナパンをはさみ、エート、次はどれをはさんでやろうか、と周りを見回しながら歩いていく。

海底や川底を行くカニの心境も、きっとこのようなものであるにちがいない。パン屋を行くカニ男……。

そうやって獲物をトレイに並べながら、サンドイッチのコーナーにたどりつく。色とりどりの切り口を見せて、様々なサンドイッチのパックが並んでいる。

ここでぼくはいつも少し迷うのだが、あのサンドイッチのプラスチックのパックも、やはりトングではさんで取るべきなのだろうか。あるいは手づかみでいいのだろうか。

一度、トングでカツサンドのパックをはさみ、重さのあまり取り落としたことがあって、それ以来手で取っているのだが、そのときいつも一抹の気おくれを感じる。

そうやって、サンドイッチのコーナーで何か一品取りあげ、最後にレジのところに並ぶ。

並んでいるときのトレイに、カツサンドが載っているときと、他のサンドイッチが載っているときとでは表情がちがう。カツサンドが載っているときは、顔に満面の笑みがあふれており、載ってないときは一抹の寂しさがただよっている。

カツサンドが入った袋をさげているときの帰路の速度は速いが、入ってないときはノロノロしている。帰路、本屋に寄ったりする。

が、カツサンドのときは、〝猫まっしぐら〟の猫のように、〝おじさんまっしぐら〟になる。

そうして、家につくやいなや、カツサンドまっしぐらになる。

プラスチックの容器の中で、カツとパンの切断面を見せながら、一列に並んでいるカツサンドたちの何と好もしいこと。たのもしいこと。

サンドイッチというものは、もともと小腹の足し、というか、軽食に属するものだがカツサンドはちがう。堂々の一食だ。

他のサンドイッチは、卵の白や黄色や、サラダ菜の緑や、トマトの赤など、彩り華やかだがカツサンドはちがう。

堂々の茶一色だ。

そしてまた、切り口の魅力にあふれている。他のサンドイッチは、パンとパンの間に具が〝見えかくれ〟するが、カツサンドはちがう。堂々の露出だ。あるいは開帳と言ってもいい。

そこに自信にあふれた積極性を感じる。見ろ、という姿勢を感じる。

一見、パンとパンの間にトンカツがはさまっているように見えるが、そう見るのはカツサンドの素人だ。

プロのカツサンド鑑定士はそうは見ない。パン→コロモ→豚肉→コロモ→パンというふうに分解して見る。材料の一つ一つを層として見るのだ。

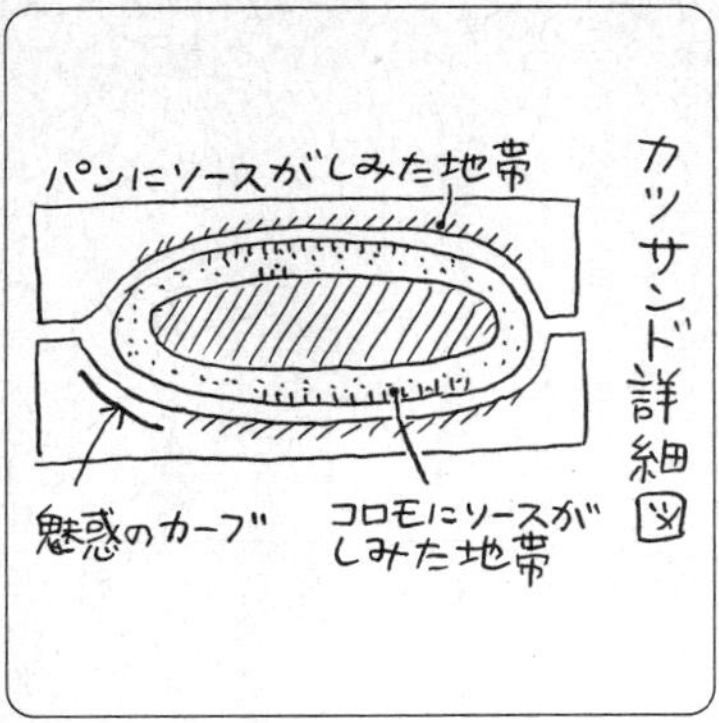

熟練の鑑定士は、コロモの部分をさらに、ソースのしみた部分のコロモ→しみてない部分のコロモ、に分解する。容器に五個入っているカツサンドは、五個のカツサンドとみなさず、幾重にも重なった層のつらなりとして見たほうがいい。

そうしてみて、初めて肉の切断面の美しさに気づく。ふだんの食生活の中で、こんなにもしみじみと肉の切り口を見る機会はまずない。カツサンドのと

きに限って、初めて〝肉の切断面はこんなにも魅力に満ちたものであったのか〟と気づく。

わずか一センチほどの厚さの肉ではあるが、その一センチの厚さを、上から通過していく刃物の刃先の時間の経過さえ感じられる。カツを取り囲むパンのほうはどうか。肉厚のカツに押しつぶされて薄くなった部分が、カツの先端のほうに移行していくに従って少しずつ厚くなっていく。ここのところの、パンとカツが織りなすカーブが、いつもぼくの心を躍らせる。

ああ、一刻も早く、ここのところにかじりつきたい。かじりとって、口の中をパンとバターとコロモとコロモにしみた油とコロモにしみたソースとパンにしみたソースの味にまみれさせたい。

アグとかじりつき、さらに歯先に力を込めれば、ミシミシと歯先は肉に食い込んでいく。ミシミシ、ミリミリと肉は切断されていき、肉の中央でキッパリと切断される。この瞬間がいい。「取れた」と思う。

取れたあとはひたすらのアグアグ。

ソースのしみたトンカツだけを食べたのではこうはおいしくない。

ソースのしみたパンだけを食べたのではこうもおいしくはならない。

両者があいまって、口中いっぱいのカツサンドの味になる。

パンとコロモとコロモの油とソースと豚肉の法悦となる。

この法悦の最中に、ときどきでいいから、キャベツのショリショリ、またはレタスのショリショリが加わってくれれば、もはや何も言うことはない。

店によっては、カツサンドにキャベツやレタスを入れないところもあるが、ぜひ入れて欲しい。入れて〝油まみれの中のショリショリの清涼〟を味わわせて欲しい。

それからもう一つ。パンは必ずトーストして欲しい。

たとえ時間が経過して冷めてしまっても、トーストした〝実績〟は必ず味として残る。

昆布巻きの迷惑

昆布巻きをいじめたことはありませんか。

駅弁やホカ弁の片隅で、遠慮がちに小さくなっている昆布巻きを、少なくともシカトしたことはあるでしょう。

「邪魔なんだよ、おまえは」

とか言って、邪険にあつかったことがあるはずです。

ひところの駅弁やホカ弁のたぐいには、必ずといっていいほど小さな昆布巻きが入っていたものだった。

弁当の中の、〝にぎやかし〟の一員として入れられていたのだった。

メインのおかずがシャケとかカツとかアナゴだとすると、サブとしてカマボコ、卵焼きを入れ、あとはにぎやかしとしてタケノコの煮たのやシイタケの煮たのを入れ、奈良

漬、ゴボウの味噌漬、タクアンなどを入れ、あんまり漬物ばかりでもなんだからということで昆布巻きが選ばれた。そういう意味で重宝がられた存在だった。

ところが最近の駅弁やホカ弁には昆布巻きが入っていない。みんながいじめたり、シカトするようになったので姿を消したのだ。

ぼくなんかは、弁当の中の昆布巻き、わりに好きでしたね。ニシンを芯にして、甘から煮の昆布をグルリと巻き、まん中をカンピョウで結んである。きちんと結んだ結び目がかわいらしかった。

こういう昆布巻きの食べ方は決まっていて、まず結び目の手前のところで嚙み切って半分食べる。

あとの半分をカンピョウごと食べる人もいるがそうしてはならない。

結んであるカンピョウのワッカをはずしてわきへ置き、残りの半分を食べる。そうして最後に、カンピョウのワッカだけ食べる。このワッカがおいしい。特に結び目のところがおいしい。

少しかたくて、少し嚙みごたえがあって、ちゃんと結び目の味がする。

でも昆布巻きとしては、カラダのほうよりオビのほうがおいしい、特にオビの結び目がおいしい、なんて言われたら立つ瀬がないわけです。

それでますますいじけ、いじけているがゆえに更にいじめられ、弁当界の嫌われものになっていったというのが真相のようだ。

では昆布巻きはこの世から姿を消したのかというとそうではない。

いまの世の中にも、かなりの量の昆布巻きが流通しているはずだ。

まず正月のおせちには、必ず昆布巻きが入っている。ゴマメと共に、おせちの中の〝二大迷惑もの〟ではあるが強引に入りこんでいる。なぜ入りこんでいられるかというと、ただ一点、ヨロコブのコブだからだ。

昆布巻きも実にいいところに目をつけたと思う。ほかには何も根拠はない。ただその一点を入閣条件にして、入閣を果たしたのだ。

　よく考えてみると、ヨロコブのコブだからと、みんなは本当にヨロコンでいるのだろうか。駅弁、ホカ弁の例をあげるまでもなく、実際にはみんなは少しもヨロコブないよ。お呼びでないよ。

　なのに、いまだに昆布巻きは、おせちの中に入り続けている。それを許しているのは、おせち界の大ボス、オメデタイのタイだといわれている。

　タイには人に触れられたくない弱みがあるのだ。〝オメデタイの秘密〟といってもいい秘密がある。

邪魔なんだヨオマエは
ジャキジャキ
昆布巻きをいじめる青年

　タイは、〝オメデタイのタイ〟ということで人にも知られ、自らも誇りにしているのであるが、実はこの〝オメデタイ〟のタイは、〝飛ビオリタイ〟のタイでもあり、〝首シメタイ〟のタイでもあり、〝死ニタイ〟のタイでもあるのだ。つまり〝不吉のタイ〟でもあるのだ。

　いままで誰にも指摘されたことのない事実であるが、それを指摘したのが〝ヨロコブ〟のコブだと言われている。

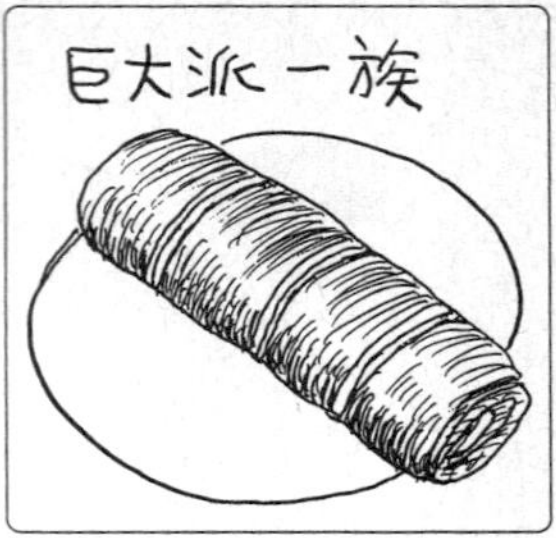

つまり、ボスはコブに弱みをにぎられているのだ。タイの安泰が続くかぎり、コブの安泰も続くと言われているゆえんである。

駅弁やホカ弁の中の、チビ系の昆布巻きのほかに、お中元やお歳暮の世界で活躍している巨大派の一派がある。

巨大派は、ニシンばかりでなく、サケ、タラコ、アユ、牛肉などを、腹心として腹にかかえこんでいる高級派だ。

巨大派の頭目は、長さ二十センチ、太さ五センチもある。

全身の三か所ほどを、カンピョウで縛られていて、なんだかぐったりしているのが特徴だ。この巨大派はどうやって食べたらいいのだろう。高級なおせちには、こうした巨大派を輪切りにして入れてある。

直径五センチ、長さ四センチほどの輪切り一個を、一口で食べては大きすぎるししょっぱすぎる。

そこで半分に嚙み切ることになるのだが、そうすると嚙んだとたん、グニュリとゆるんでほどけ、芯も昆布もバラバラになる。ふた口めは、バラバラのものをあちこち拾い集めて食べることになる。

これはやはり、輪切りにせず、全身をほどいて食べるのがよいようだ。なんだかもう、全身ぐったり、という感じで横たわっている昆布巻きの、まず一番上の胸元のオビをほどく。そうして胸元のあたりを箸の先で少しはだけさせたのち、まん中の腰のあたりのヒモをほどく。最後に一番下のものを、これはワッカのままズルズル下にひっぱって脱がせる。

腰のオビのところでは、昆布巻きをゴロゴロ転がしながらほどいていき、

「アーレー、お代官様」

などと声に出して言ってみるのも楽しいかもしれない。

ほどいた幅広の昆布を適当な幅に切り、海苔巻きのようにゴハンを巻いて食べるとおいしい。

アメ横狂想曲

年末になると、各テレビ局は、必ず〝アメ横〟の混雑を映し出す。

また、これを一回見ないと、年末の気分がもう一つ盛りあがらない。

アメ横の通り一本が、まるで満員電車の車内のようになる。

カメラは必ず上からの俯瞰で、女性アナが押されてナナメになりながら、

「アーッ、安い。このカズノコが、たったの……ワーッ、押さないで、センエン」

などと叫び、テレビカメラを向けられたアメ横のニイチャンは、毎年のことでテレビ慣れしていて、カメラなど眼中にないかのようにシオカラ声で、

「センエン、センエン、センエン」

と念仏のようにとなえている。

女性アナの右後方から、定年退職風ジャンパースダレ禿げのオトウサンが、画面をナ

ナメに突っきって、その〝センエン〟に突進しようとしてモミクチャになっている。

このシーンを目にして、人々はようやく年の瀬が切迫したことを知る。

年の瀬のどんづまりを感じる。と同時に、

「なんだか、あそこに参加してみたいな」と思う。

なんか楽しそうじゃないですか、あのモミクチャって。

あそこでは、買い物のエネルギーの八十パーセントがモミクチャとの対応に費やされるはずだ。

十二月二十日、やや早めでは

あったが、ぼくもモミクチャにエントリーしてみた。早めだったせいか、モミクチャまではいかず、モミモミぐらいの混雑ではあったが、年の瀬の気分はすでに十分にあった。まだカマボコ、ダテマキなどのおせち関連は登場しておらず、カズノコ、塩ジャケなどの塩物関連、スルメ、身欠きニシンなどの乾物関連、イカクン、ピーナツ、塩マメなどの乾き物関連がもっぱら幅をきかせていた。

アメ横の通りに一歩入ってまず感じたのは、〝スルメの隆盛〟である。どの店も、店頭いっぱいの大スルメ、小スルメ、中スルメ。スルメの時代はとっくに終わったと思っていたが、このアメ横ではまだまだスルメの時代が続いているのだ。

「五枚で二千円」とけっこう値段も高いのだが、けっこうおじいさんなんかが買っていくのである。

十枚で三千五百円、なかには七千五百円の大袋もある。

「五枚で二千円」を買って行ったおじいさんが、もし老夫婦二人きりだとすると、あの五枚をしゃぶり終えるのにいく日かかるだろう。

アメ横はどの店も単位が大きい。

「スルメ一枚だけください」というわけにはいかないのだ。

干しそばも、ふつうの小売りは二百グラムの束が二束で一袋になっているが、ここでは一袋一キロの大袋だ。

そのかわり値段はたしかに安い。

市価の三割は確実に安い。

長さ二十五センチほどの巨大なロースハムが千九百円。

デパートさんだったら四千円はする塩ジャケが一匹二千五百円。

塩マメは一キロ入りの大袋がたったの五百円。塩マメ一キロの袋というと、二キロ入りのお米の袋ほどの大きさがある。もしこれを、さっきの年寄り二人きりのおじいさんが買って行ったらどういうことになるか。

入れ歯はこわれ、アゴははずれ、口の中が荒れはてても、それでもまだまだ塩マメは残る。

大きな干《ひ》ダラなどというものもあちこちの店で売られていて、どうもこのアメ横は時代が一時代ずれているような気がする。

「社長。中トロだよ、これ、中トロ」

などと、いまどき〝社長〟などという呼びかけが通用していて、用語も一時代ずれているようだ。

大人の腕ほどの太さの長い酢ダコが九百円。

またまたさっきのスルメ老夫婦に登場してもらっ

て気の毒だが、もしこの巨大酢ダコを買って帰ったらどうなるか。

あのおじいさんが、あのあと塩マメと酢ダコを買って帰らないのを祈るばかりだ。

アメ横といえば、スルメにシャケに酢ダコにマグロにカズノコといった〝和物〟の商店街だと思っている人は多いかもしれない。

ところが、アメ横の通りのちょうどまん中へんにある「上野アメ横センタービル」の地下に行ってみると様子が一変する。

この下は、エスニック系の食材の宝庫となっているのだ。

エスニック系食材ファンなら、この地下に一歩足を踏み入れたとたん必ずコーフンする。

ぼくがまず感動したのが「鶏の足」だ。通称モミジ。モミジはラーメンのスープのダシとして、知る人ぞ知る存在だが、まずふつうの店では売っていない。このモミジが、二十本以上入っていて一袋二百円。もちろん買いました。これでさっそくラーメンのスープをつくろう。

と思って、ふとその隣を見ると、こんどは鴨の足先を売っている。鴨のモミジだ。鶏のモミジよりさらに濃厚なダシがとれるにちがいない。

これ二十本以上入りが一袋五百円。もちろん買いました。さっきのスープにこれも入れよう。

ティラピアを売っている店もある。ティラピアは三匹千円。買って帰りたいがどうやって食べればいいのか。

まっ黒な烏骨鶏発見。丸ごと一羽千円。ウサギ発見。丸一羽千円。草魚発見。一匹八百円。

豚のしっぽ発見。牛のテールはよくあるが豚は珍しい。十本で五百円。これもさっきのスープに入れてみよう。

まだ見ぬスープは濃厚化の一途をたどりつつあり、正月用品の買い出しは、ラーメンスープのダシの買いダシとなりつつあった。

初春、初荷、初デパート

正月が明けて、初めてデパートに出かけて行くときは心が躍る。とにかく、もう、張りきっちゃう。

初荷、初市、初せりは俳句の季語になっているが、初デパートというのはない。ぜひ近いうちに季語に入れて欲しいものだ。

正月初日のデパートは人であふれかえっているが、その表情には独特のものがある。暮れのデパートの客の目は三角になっているが、正月の客の目は八の字にたれさがっている。

誰もの表情にゆとりがあり、鼻息が少し荒い。

「なんかいいもんあったら買っちゃうかもしんないかんな」

という鼻息であり、

「福袋だって、事と次第によっちゃ買っちゃうかもしんないかんな」

という鼻息でもあり、この鼻息は「しんないかんな症候群」にかかっている人独特の症状だ。

ぼくのことしの初デパートは、池袋の西武デパートだった。鼻息荒く、とにもかくにも地下の食品売り場に駆けこんだ。

なんかいいもんあったら買っちゃうかもしんないかんな、と、右を見、左を見ながら歩いて行くと、ありました。

「ばくだんおむすび」

とにかくでかい。でかくてイビツだ。イビツでまっ黒だ。

直径十センチ余り、全域がまっ黒な海苔でおおわれている。昔のお城とお城の戦争のときに撃ち合った、大砲の砲弾そっくりなやつが約十個、山積みになって重なっている。

「かぐや姫」というおむすび専門の店だ。この店の前を通る人は、「ワー、大きいおむすび」と必ず驚く。驚いて思わず指で、そのポッテリした海苔の肌を突っこうとする。突つこうとして、ハッと思いとどまる。おむすびの上の注意書きに気づくからだ。

「ばくだんおむすびは、さわらないで見て下さるようお願いします」

どうです、いい文句でしょう。とてもおむすびに対する注意書きとは思えないところがいい。

一個三五〇円。一個ずつビニールパックされている。もちろん、鼻息荒く買いました。この日はこのほかにもいろいろ買ったのだが、これがこの日一番のお買い物だった。なにしろ手に持った感触が何ともいえずいい。ずっしりと重く、しっとりとしめっていて、やわやわと柔らかく、お米の重みの手応えがいい。

これを手に持つと、どうしてもお手玉のように上に放り投げてみたくなる。落ちてきて受けとるときの手応えもいい。

中身はシャケ、タラコ、昆布の佃煮がいっしょくたになって入っており、表面の中央に、黄色いタクアンと大根のサクラ漬けが貼りつけてある。

ビニールパックを取ると、海苔の匂いが一挙に立ちこめる。

直径十センチだから、ハンバーガーのようにパクリとくわえることはできない。どうしたらいいのだろう。

とりあえず思いきり大口を開けて、そこへおむすびを激突させてみた。

そしたら、この激突感がとてもよかったんですね。

そこで、二度、三度と激突させてみたらますますいい。更に二度、三度。

しかしこれはこうやって遊ぶものではないので六度目に嚙みついてみた。

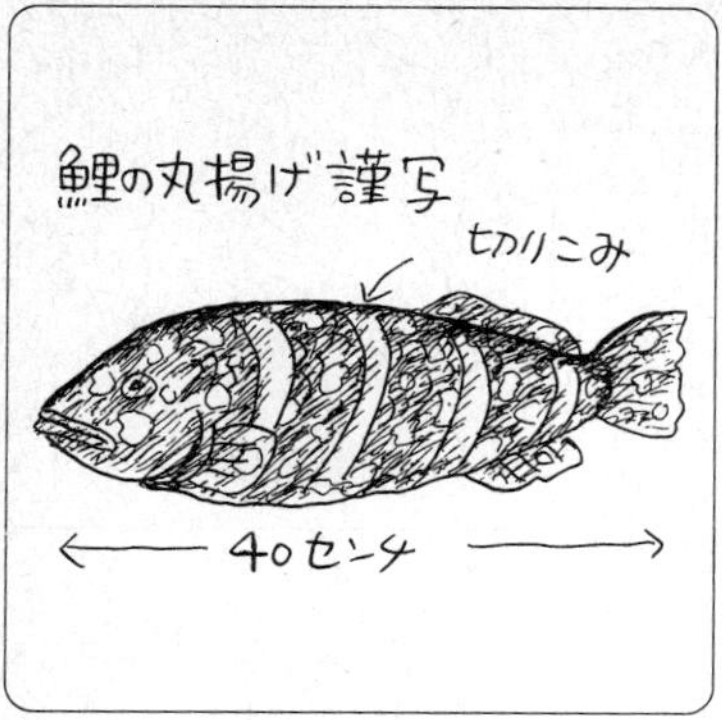

そうしたらちゃんと嚙みつくことができて、そのあとは食べても食べてもゴハン。食べても食べてもおむすび。

とても楽しかったです。

「ばくだんおむすび」を過ぎて少し行くと、またありました。

「鯉の丸揚げ」

正式には「糖醋鯉魚」といい、アジの唐揚げならぬ鯉の唐揚げに甘酢あんをかけまわしたものだ。

中年以上の人には、この鯉の丸揚げには思い出が

あるはずだ。

その昔の、ごくありふれた町中の中華料理店のショーウインドーには、必ず鯉の丸揚げがあったものだ。

ショーウインドーの目の高さのところにはラーメン、ギョウザなどの大衆的値段のものが並んでいて、下段に行くにつれて八宝菜、酢豚、肉団子、かに玉などの高価なものになっていって、そうして最後のとどめ、大物中の大物として鯉の丸揚げがドーンと横たわっていたものだった。

そして、この鯉の丸揚げの横には、どの店も一様に「時価」の値札がついていたのだった。つまり、ほとんど誰も食べないメニューだったわけです。

その「時価の丸揚げ」が、西武デパートでちゃんと値段を明示して売られていたのだ。「太新樓」という店で四二〇〇円だった。

とにかく、そのお姿が懐かしい。

あの美しい姿態の鯉が、全身焼けただれた悲惨なお姿となって横たわっている。しっぽもヒレも、ようく揚がっていていかにもウマそうだ。

身長四十センチ近く、身の幅十センチもあり、かなりの食べでがある。

別添えのタレを鍋で熱くし、ジュウとかけまわして食べてみると、アジとちがったモッチリした肉質で、川魚特有のくさみが残っていてこれがかえってウマい。ヒレもしっぽもウロコもカリカリに揚がっていて、これは肉の部分とは別のウマさだ。

そのほか、「麦とろ弁当」(たん熊)八〇〇円。それから、本物のウナギの肉をはさんで焼いた「ウナギパイ」(御ぞんじ亭)一〇〇〇円なども買った。

一枚五〇〇〇円のせんべいなどというものもあった。

これは伊勢エビ丸ごと一匹を平らに押しつぶして焼きあげたものだ。

エビフリァーの本場、名古屋の「海老御菓子處・桂新堂」の製品であったが、さすがにこれは買いませんでした。

回転鍋出現す

回転寿司、回転しゃぶしゃぶに続いて、こんどは回転鍋というのができた。

すき焼き、寄せ鍋、モツ鍋、石狩鍋などの小鍋が一列に並んで、湯気をあげながら行進してくるのを、

「エート、ぼくはモツ鍋いこうかな」

なんて言って、鍋つかみでサッとつかんで列から取りあげる、というのではない。

鍋のほうは動かない。

一人一鍋、カウンターに固定してある。でもって、具のほうが回転してくる。肉や野菜や魚や貝などの具が、小皿にのって回転寿司と同じようにゆっくり目の前を流れていく。

「ナーンダ」

やってる
ムチャクチャ

と、急に思ったでしょう。

「ツマンネーノ」

と思ったでしょう。

「どうせアイデアだけの、チャチな鍋物なんだろ」

と思ったでしょう。

ところがどっこい、これがなかなかちゃんとした鍋で、とてもおいしいし、それに、実際にやってみるとかなり楽しい。

鍋物というのは、鍋奉行の指示とか、自分の取り分と他人の取り分への配慮とか、けっこう面倒な〝因習の世界〟なのだが、回転鍋ではそういうものの一切がとり払われる。

ＪＲの有楽町駅のすぐそばの

「鍋処・泉」。店頭に「世界で初めて!? まわる鍋料理の店」とある。

店のシステムはこうだ。

カウンターにすわったら、係の人に何のツユで食べるかを申告する。ツユの種類は五種類ある。「しょうゆ味」「味噌だし」「昆布だし」「辛みだし」「すき焼きのタレ」で、「昆布だし」にはポン酢がつき、「すき焼きのタレ」には生卵が一個つく。

無難なのは「味噌だし」と「しょうゆ味」のようだ。このツユはタダだ。

申告が終わると鉄鍋にツユが注がれ火がつけられる。

鍋は直径二十センチと意外に大きく、底も深く、ツユはびっくりするほどタップシ入れてくれる。

このタップシが嬉しい。(もう大丈夫)という気になる。何が大丈夫なんだかよくわからないが……。

ぼくは「味噌だし」を選んだのだが、一口すすってみるとダシのしっかりした、このまま飲んでもおいしいツユだ。

さて、何の具から入れようか。

具の種類は四十種類以上ある。

二百円、三百円、四百円の三段階あって、皿の模様で値段がわかるのは回転寿司と同じだ。

四百円ものには、牛、豚、かき、鴨肉、餅入り巾着、わたりがになどがあり、三百円ものには鮭、たら、きりたんぽ、えび団子、牛もつ、牛タン、いか、つみれなど、二百円ものは鶏、ぎょうざ、豆腐、ハンペン、うどん、中華麺などだ。

何を、どう入れようが個人の勝手だ。

どんな鍋にしようが誰にも文句を言われない。

鍋界はまことに因習の世界で、たとえば「きりたんぽ鍋」には牛肉を入れることは許されないし、「すき焼き鍋」に帆立貝を入れることは許されない。

「貝は煮えばなを食え」とか「牛肉としらたきは離して入れろ」とかの鍋奉行の指示も一切ない。

だからもうみんな、ハメをはずして勝手なことをやっている。

そして、その〝勝手〟が意外なおいしさになることがわかる。

特に最後にゴハンを入れておじやにすると、ムチャクチャに入れた具のダシがムチャクチャに出ていて、ムチャクチャおいしい。

ただし、会話ははずまない。

もともと鍋物は〝囲む〟もので、大勢で囲むことによって会話がはずみ、親睦がはかられるものなのだが、ここはカウンターだけだから、四人で来ても横並びになる。鍋を〝並ぶ〟ことになる。

しかも各自、自分の鍋の運営、管理、資材の選択、仕入れ、火加減に忙しく、隣と話をするヒマもない。

部下との親睦をはかるためにやってきたらしい課長サンも、自分の鍋の運営に忙しく、ろくな会話もなく出ていくことに

きょうから鍋の仲間入り
ソーセージ
ぎょうざ

なった。

単身赴任らしい人も多い。

銀ぶちメガネの背すじのピンと伸びた、六十歳ぐらいの管理職風の人がぼくの隣にいて、一人、静かに鍋を運営していた。

ただし、運営はメチャクチャで、「しょうゆ味」のツユに牛肉と牛もつとイカ団子とハンペンとたらを入れ、いきなりうどんを入れ、野菜を入れ、鍋の中はぐちゃぐちゃになった。

恐らく、自分で料理をしたことなど一度もない人なのだろう。しかし、このぐちゃぐちゃがいかにもウマそうなのだ。

単身赴任だが料理は苦手で鍋が好き、という人にはこの店はうってつけだ。一人で鍋をしようと思ったら、ハマグリは一皿、豆腐は一丁、しらたきは一わということになり、多種類の具の鍋は不可能になる。

それがここでは四十種類の中からほんの少量ずつ選ぶことができる。

三十席ほどのカウンターはほぼ満員の盛況。ふつう、このぐらいの人数がいる居酒屋だったら、まぐろの刺身を食べている人もいれば焼き鳥の人もいるし、しめさばなんかの人もいるものだが、ここでは全員が例外なく鍋。

店一軒丸ごと鍋の客ばかり。

鍋ならざる客一人もなし、という風景はめったに見られるものではない。

それにしても、もし本格的な鍋奉行の人がこの店に来たらどうなるか。

右を見ても、左を見ても、みんなとんでもないことをしでかしている。

勝手放題、落花狼藉、百家争鳴、孤軍奮闘、満身創痍、怒髪衝天となって店を出てくることになるにちがいない。

食べたぞ仔豚の丸焼きを

豚の丸焼きをいただきました。

そう言うと、大抵の人は驚いて、

「豚の丸焼きって、あの……。豚一頭丸ごと焼いたやつ？」

と、うろたえる。

そうです。豚一頭丸ごと焼いたやつです。そう言うと、

「あの……、胴体に顔とか手とか足とか付いてるやつ？」

と、ますますうろたえる。

食べたほうは落ちついているのに、食べないほうがうろたえている。

そうです。顔も手足もシッポも耳も鼻もついたやつを食べたのです。

「すると、まさか、そのシッポも？」

サン・ジャック・コンポステル城の暖炉で焼かれる
仔豚クン

「いただきました」

「耳とかも？」

「いただきました」

「鼻とかも？」

「いただきました」

豚一頭ことごとく、耳から鼻から肝臓などの内臓、脳みそ、ぜーんぶいただきました。しかもフランス料理の豚の丸焼きをです。

中華とか、ハワイと南洋諸島の豚の丸焼きはときどき話に聞くが、フランス料理の豚の丸焼きは珍しい。しかも、この丸焼きは、店の中の暖炉で、薪をたいて焼くのです。

しかも、その暖炉は、今を去

ること三百六年前、フランス国はサン・ジャック・コンポステル城という古城からはずして持ってきたという、天井までとどく巨大な暖炉なのだ。

この暖炉を横倒しにすれば、その中で人一人が暮らせるほど大きい。

豚の丸焼きをいただいたのは、この巨大暖炉のある代官山の「パッション」という店。十年以上続いているフランス料理の名店だそうだ。

最初に値段のことを書いてしまいますが、オードブルから始まるこの「豚の丸焼きコース」は、十名様以上からでお一人様二万円。

どうしてこんなとんでもない料理を食べてしまったかというと、実は、わたくし、昨年（一九九五年）の暮れ、某社の「エッセイ賞」というものをいただき、副賞として少なからぬ賞金もいただきました。

「その、いただいた賞金で、豚の丸焼きをいただいてはどうか」

という声が周辺からあがった。賞をいただいた本の名前が『ブタの丸かじり』だったせいかもしれない。

男女総勢十名の紳士淑女が店に到着したのが夜の七時。巨大暖炉の前の大テーブルに一同着席。巨大暖炉に一同注目。

暖炉の中ではすでに薪がパチパチと音をたてて燃えており、その火の中で、本日の主役、生後四週間の仔豚クンがグルグル回転しながら焼かれている。われわれの到着時間に合わせて、五時半から焼き始めていて、すでに全身狐色にコンガリおいしそうに焼けている。

しかし、あと一時間は焼かなければならないそうで、その間に、われわれはオードブルをいただき、魚料理などをいただき、ワインもいただくという趣向だ。それらのものをいただきながら、われわれは仔豚クンが焼かれていくのをじっと見守る。

仔豚クンの身長六十四センチ、丸々と太ってお腹もプックリ。

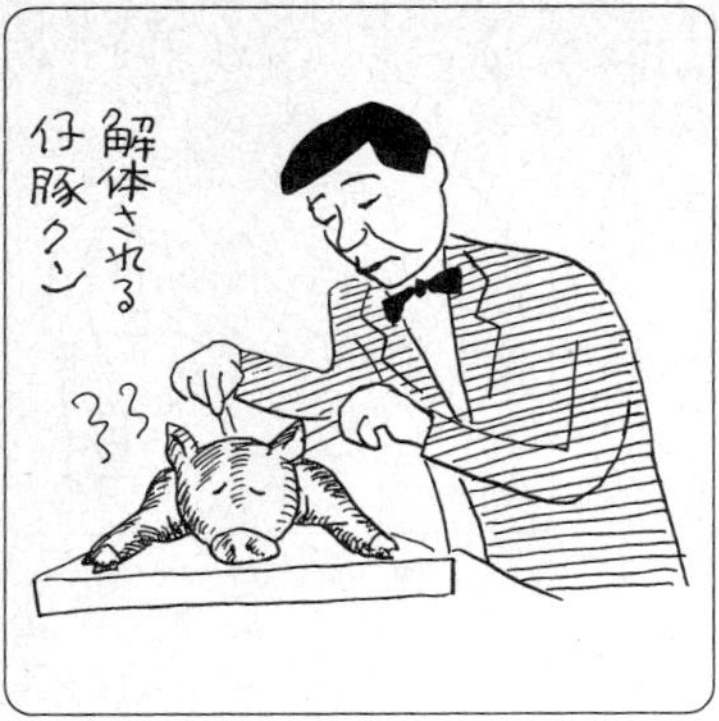

仔豚クンは、手と足を、前とうしろに思いきり伸ばしたポーズで、なんだか伸び伸びとくつろいでいるように見える。グルグル回って楽しそうに見える。火で焙られていて楽しいはずはないのだが、少なくとも気の毒という感じはしない。

八時ちょうど、仔豚クン焼きあがる。テーブルのわきのワゴンの上で解体が始まる。まず、うつぶせになっている仔豚クンの首を切断。次に背中をズーッと切開。お腹の中の詰め物を取り出す。湯気がもうもう。

お腹の詰め物は、本人の内臓、および友人の内臓。本人だけのでは足りないので、友人知己などの応援

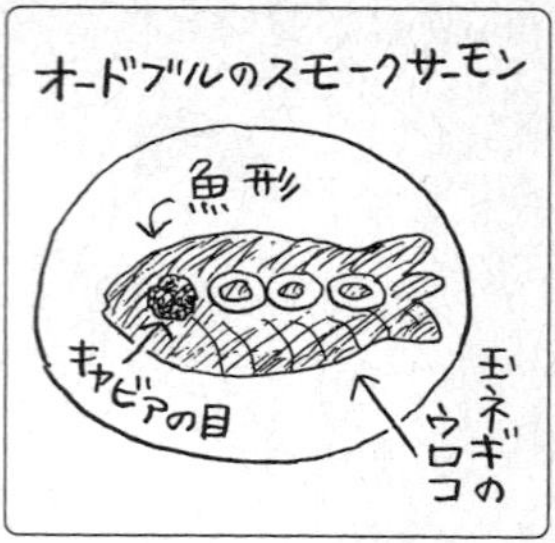

を得て、お腹をパンパンに張らせて焼くのだそうだ。手足切断。シッポをチョキン。耳もパッチン。鼻もザックリ。

各部を皿に盛り合わせてテーブルに到着。まず足をかじってみる。

テレビのアウトドア番組などで見るこうした丸焼きは、見ていると脂ポタポタ、肉ジュウジュウ、脂ぎった感じがするが、この仔豚クンはあっさりしている。噛みごたえも肉の味も鶏の蒸し焼きに近い。

薪で焼かれた皮は、スモーキイで、張りつめているのにパリパリではなくしんなりしている。肉もしんなりしていて、豚だと言われなければ誰もが鶏だと思うにちがいない。味つけは塩とハーブだけで、好みによりグレービーソースをかけてくれる。

お腹の中の詰め物がウマい。

五ミリ角に切ったレバー状のものや脂身が、荒びきソーセージ状のものの中に混ざっている。

全身から出た肉汁や脂などが、すべてこの詰め物の中に沁みこんでいて、しかもそれが内臓各部の独得の味と相まって、丸焼き料理の白眉はこれだな、という気にさせられる。

シッポは全長七センチほどで先細り。ほとんど骨で、少しずつかじったが、これはまあ硬い骨せんべいといったところだ。耳はコンガリ飴色に焙られていて、コリコリと軟骨の嚙みごたえが楽しい。

鼻は硬くてモッチリしたゼラチン質と、硬めの脂肪とが入り混じっていて、モチモチとねばり、サクサクと軟らかい。ここもかなりの美味とみた。

頭の中から取り出された脳みそは、白子に近いと言いたいところだが、もう少しシッカリしていて、うんと硬めの豆腐といった感じでクサミやニオイはまったくない。

仔豚クンには気の毒したのだろうか。あるいは喜んでいただいたのだろうか。

愛しき茹で卵

最近、茹で卵のカラがむけにくくなってると思いませんか。

カツンとやったときのヒビの入り方がこまかくて、ツメを立てても一回で五ミリ角ぐらいしかはがれない。次こそは、パカッと大きくはがれるにちがいないと、期待をしながらペリリとはがすと、今度は三ミリ角。次が四ミリ角。次が二ミリ角。三ミリ角……。

むいてもむいても三ミリ角、五ミリ角。一分たっても半分もむけない。

半分ぐらいむいたところで、イライラして怒りだす人と、情けなくて泣く人とに分かれる。

泣きなさい。泣きたい人は本当に泣きなさい。

こんなにくだらなくて、こんなに悲しいことはそうあるものではない。

食べればせいぜい二口ぐらいで終わる食べ物を、二分も三分もかけて、三ミリ角ずつ、

文春文庫
秋の100冊フェア
読む女。

闇に交われ、光を解き放て
陰陽師《おんみょうじ》
10月6日(土)全国
東宝系ロードショー
●出演／野村萬斎　伊藤英明
今井絵理子・小泉今日子・真田広之
●監督／滝田洋二郎
夢枕　獏 原作
各巻大増刷中!
陰陽師
●476円
陰陽師
飛天ノ巻
●448円
陰陽師
付喪神ノ巻
●476円
文春文庫

こんな
単純な
ものから
命が生ま
れても
いいのか!!

四ミリ角ずつ、えんえんとむいていくのだ。

時には、三ミリ角のカラの下に身が付いてきてえぐれ、深い傷あとができることもある。三ミリ角ならまだしも、六ミリ角の身が大きくえぐれることもある。

泣きなさい。声をあげて泣きなさい。

ようやく全部むきあがった茹で卵は、あちこちえぐれ、手垢で汚れ、もう食べる気にもならない。

昔の茹で卵は、もっと簡単にむけたような気がする。

最初、まん中へんが切手半分

ぐらいの大きさにはがれ、次に切手一枚ぐらいにむけ、その次には、突如、上半分が、パカッというか、スッポリというか、丸い形のままむけたりするとすごく嬉しかったものだった。

むく、というより、はずす、という感じで、たとえば、誰とは言わないが、テレビによく出てくる経営コンサルタントの人とか、あるいは大リーグ通のあの人とかが、家へ帰って、ヤレヤレなんて言いながら頭頂部をはずすときは、きっとこんな感じだろうな、と思わせるものがあった。

こうしてむいた茹で卵は、茹で卵のようなという表現があるように、ツルツル、スベスベ、ツヤツヤと輝いていて、見ていて楽しく、手に持って嬉しく、いかにも食欲をそそるものだった。

そうです。茹で卵は、常に楽しい思い出とつながっていたのです。

遠足、花見、運動会

観劇、観戦、汽車の旅

キャンプ、行楽、ハイキング

と、思わず韻を踏んでしまうような楽しい思い出とつながっていた。

汽車の旅などでは、冷凍ミカンと茹で卵は必携品であった。

茹で卵のことを〝うでたまご〟なんて言うおばさんの一団が窓際にすわっていて、四人そろってうでたまごを食べている図、なんていうのがよく見られたものだった。

茹で卵がこういう行楽の友となりえたのは、もちろん、そのおいしさもさることながら、いつでもどこでもすぐ取り出して、すぐ食べられる便利さがあったからだと思う。

硬いカラで自分自身をパッケージしている便利さ。

携帯至便。手ごろな大きさ。

たとえばウズラの卵だと小さすぎて手間がかかりすぎる。

もっと大きかったらどうか。ダチョウの卵ぐらい、ソフトボール大だったら、茹で卵の歴史もずいぶん違ったものになっていたと思う。

遠足のときなど、三個も持っていくとリュックが一杯になってしまう。一個食べると、おなかがいっぱいになってほかのものが食べられなくなる。

卵かけゴハンのときはどうなのか。

ゴハンの上から生卵をかけると、茶わんから卵があふれ出してしまうにちがいない。

小さくて、かわいくて、小腹がすいたときに手ごろで、そのうえ半分に割ったときのデザインが実にいい。

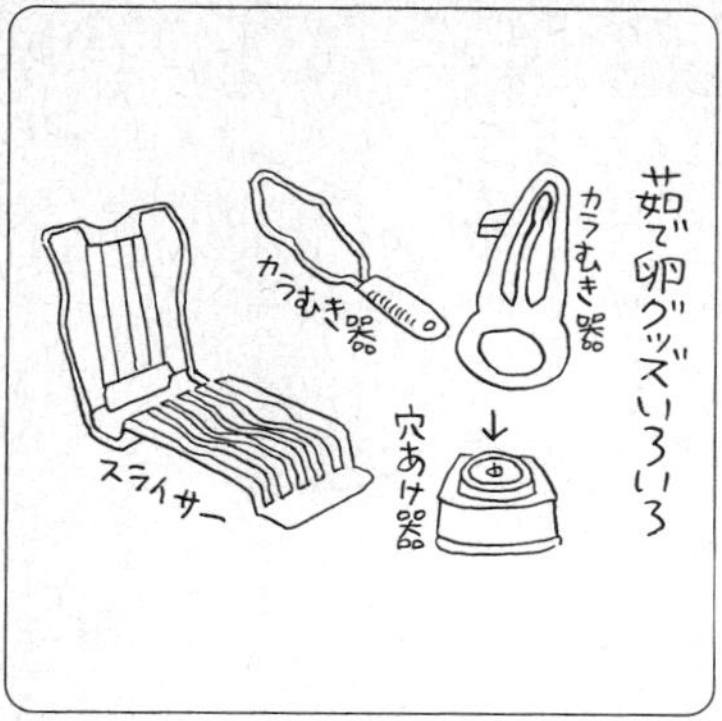

まん丸くて、外もまん丸なら中もまん丸。

鶏という動物の命のもとが、こんなにも単純な形であっていいものなのか。もう少し、なんとかならなかったものなのか。もう少し、イロをつけてくれてもよかったのではないか。

このことは味についても言える。

茹で卵の中身は白身と黄身の二つだけ。ほかのものは一切ない。

食べてみても、白身の味と、黄身の味の二つしかない。ほかのものは一切ない。

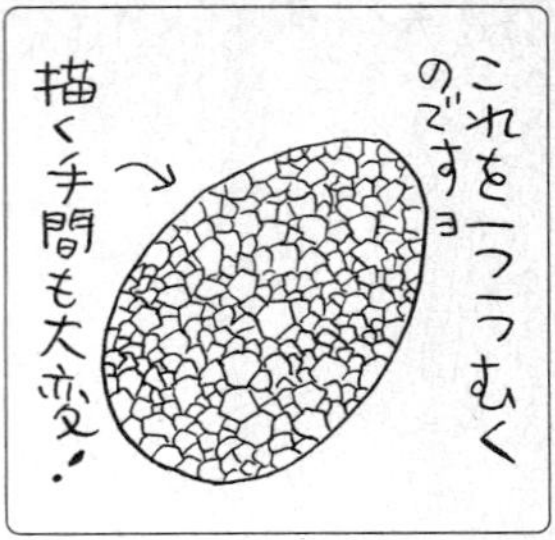

複雑きわまりない命の組成であるはずの卵なのだから、もっとたくさんの、もっと複雑多岐にわたる味があっても少しも不思議ではないはずだ。なのに味は、白身の味と黄身の味の二つだけ。
だからこそ、茹で卵はいつまでも人々に愛されつづけているといえるかもしれない。お米の味が毎日食べても食べ飽きないように、茹で卵も単純な味だからこそ飽きられないのだ。
デパートの家庭用品売り場に行くと、茹で卵専用グッズがたくさん売られている。いっぺんにたくさんスライスする道具。花型に切る道具。カラむき専用具。茹でる前の生卵に小さな穴をあけるためだけの道具（あとでうまくむける）。半熟卵のカラの先端切り取り器、などなど。

考えてみれば、毎日茹で卵を食べるわけでもないのに、そのためだけの専用具がこんなにもたくさん用意されている食品はほかにはない。

たとえば、こうした便利グッズの一つに皮むき器があるが、これは大根の皮も人参の皮もジャガイモの皮もむける。ところが茹で卵関係は茹で卵だけのためにある。人々の、茹で卵に対する深い愛情を、この道具たちが物語っていると言わざるをえない。

と同時に、人々が、いかに卵のカラをむくのにイライラしてきたかを物語っていると言わざるをえない。

飲んべえの桃源郷「魚三」

ついに見つけました。

夢のような、理想の居酒屋を。

「こんな居酒屋があったらいいな」と常々思っていたとおりの居酒屋。

「でも、そんな店あるわけないな」と思っていた居酒屋。理想の居酒屋とは、まず値段がむちゃくちゃ安いこと。それから壁にはられたメニューがむちゃくちゃ多いこと。まずこの二つを満たしていれば、あとはもうどうでもいいようなものだ。

だが、値段の安い店は、えてして料理の量が極端に少なく、品質もまた粗悪という場合が多い。

ところがこの〝夢の居酒屋〟は、量たっぷし、品質特上。

たとえば「マグロの刺身」が三八〇円。もう一回書くが三八〇円。でもって七切れ。

その七切れの一切れの厚さが一センチ。一般の店の倍の厚さだ。

ということは十四切れと同じということになる。十四切れで、もう一回書くが三八〇円。しかも上質のマグロだ。さあ、どうだ。ちょっと小粋な小料理屋さんで、ください、ちょうだいで注文すれば、二千円はいただきますという刺身がたったの三八〇円だ。もう一つ紹介すると、「あら煮」が五〇円だ。五〇円だよお客さん。大根おろしたっぷし、しらすたっぷしの「しらすおろし」が一五〇円。「かきフライ」はイナリズシみたいにでっかいのが三個載っかっていて三八〇円。え？　そんな店ほんとにあるのかって？　あります。どこそれ？　それどこ？　まあまあ、お客さん、興奮しないで。さがって、さがって。この線から前へ出ないように。

さて、ここで、理想の居酒屋の条件を、もう少し書き加えてみましょう。

ぼくの理想の居酒屋は、「つぼ八」などのチェーン店形式のものではなく、おじさんたちの夕暮れの友、昔ながらの正統派の居酒屋なのです。

そんなことどうでもいいから、早く店の場所と名前を教えろって？　さがって、さがって、この線から前へ出ないように。

まず第一に「サワーものがない」こと。ハイサワーとか梅サワーとかですね。おじさんたちはサワーものが嫌いなので、サワーがないからといってサワがない。第二は、これは異論があることを承知で書くが「吟醸酒がない」こと。

三つめは、ナメコおろしやシラスおろしなどの「おろしものがある」こと。四番目は、ワケギのぬたとかウドのぬたなどの「ぬたものがある」こと。ぼくは酸っぱいものはあまり好きではないので、「ぬたもの」をたのむことはないのだが、メニューの中には「ぬた」の文字があってほしいのです。（われながらヘンな趣味だが）

五つめは「カイワレサラダ」とか「チーズピザ」とかのヤング向け新趣向メニューがないこと。

この〝夢の居酒屋〟は、この夢の五か条をすべて満たしている。それにしても、この店のメニューの多さは仰天ものだ。初めてこの店に入った人は、天井から三列、壁いっぱいにズラズラとつらなるメニューを見上げて呆然、放心、しばらくは声も出ない。その数およそ一五〇品目。かなりメニューの多い店でも七〇品目どまりだから、その倍以上ということになる。

メニューを少し書きうつしてみましょう。しまあじ（六三〇円）、湯豆腐（二三〇円）、串かつ（二八〇円）、あなご天ぷら・フライ（二八〇円）、ニシン焼き（三八〇円）、なまこ酢（三二〇円）、鯨刺身（四二〇円）、お新香（一〇〇円）。

カキフライはでっかくて
中のカキもプックシ
カラシもタップシ
アヒ アヒ
しかも
アッアッで
ジューシーで
もうワシ泣いちゃう

どうです。このメニューの字と数字のつらなりを見ただけでも目の保養になったのではありませんか。門前仲町に「魚三」あり、と居酒屋ファンにその名も高い「大衆酒場魚三」。この店は、あろうことか開店が四時。四時といえば、会社の終業までまだ一時間はある。なのに、この店は開店と同時に満員になってしまうのだ。

四時十分に出かけて行ったら、五十人は入る一階

はすでに満員で、四十人収容の二階の席にようやくすわれた。二階もすでに八割の入り。

しかも、四時十分で、客のほとんどがすでに半分できあがっていて、赤い顔でワイワイ、ガヤガヤ。たったの十分間でこうなったのだ。

ネクタイ姿のサラリーマン風があちこちにいて、これは早退して駆けつけたにちがいない。しかし、この店だったら、会社を休んでも行くだけの価値はある。いやいや、三日休暇をとって、三日続けて通うだけの価値はある。

四十人のワイワイガヤガヤに対して、活発なオバチャン一人、茶パツの沈黙少年一人という応戦態勢。

注文の品を載せて運ぶのは、なんと、魚河岸などで見かける白い発泡スチロールの箱のフタ。これがお盆代わりという気どりのなさ。

テーブルは四十センチほどの幅のカウンターのみで、一列のカウンターに一列の客がビッシリと並ぶ。料理をたくさんとって、狭いカウンターに並べきれないおとうさんは、ビールのビンを足元に置いて飲んでいる。

活発なオバチャンの動きは活発で、

「あ、そこのお客さん、あっち空いたから、カラダだけ行って」

と指図する。つまり、二人で来て、別々の席で飲んでた二人組の、一方の隣の席が空いたから、並んですわれますよ、あなたのコップや料理の皿は私が運びます、という意味が「カラダだけ行って」となったのだ。

どうです、いいセリフでしょう、「カラダだけ行って」なんて。そういう店なんですね、この店は。

ビール四五〇円。金亀（日本酒）一八〇円。大関三四〇円。この店で三千円飲んだらグデングデンになる。この店の近くに引っ越して、毎日毎日通いたい。

天下り族シイタケ

どう考えても普通じゃない現象を、そうとは考えずに見過ごしている例はたくさんある。日常生活の中にもたくさんある。鍋物の中のシイタケがそうだ。そもそも何でこんなことになってしまったのか。

日本各地にある様々な鍋料理に必ず参加することになっているシイタケ。飲み屋でも料理屋でも、鍋物をたのむと、どんな鍋物にも当然のようにシイタケが入っている。そして人々は、

「鍋にシイタケ？　当然じゃん」

なんて言っている。当然じゃないのッ。ぼくは怒ってるのッ。

いいですか、ここんとこようく聞いてくださいな。

シイタケは天下りの役人なんです。

役立たずで、日がな一日、なんにもしないで鼻毛なんか抜いて暮らしている元高級官僚なんです。
　干しシイタケは別にして、生のシイタケはほとんど味がない。ぬめっとして、つるっとして、ぐにゃっとしていて何だかよくわからない味で、毎回、こんどこそシイタケの味を確かめてやろうとするのだが、結局よくわからないままに終わってしまう。
　しかも鍋のツユを、自分の中に絶対にしみこませようとしない。断固として拒絶している。そのうえ、自分の味をダシとしてツユの中に出すこともしない。

周りとなじもうという姿勢がまったくないのだ。

どうにも得体がしれない、嫌な奴なんですね、シイタケという奴は。しかもノーカロリー。ビタミンのたぐいもほとんど期待できない。シイタケが嫌いだという子供もたくさんいるし、万人に好まれる味というわけでもない。

鍋以外の料理では、揚げもの関係に使われる以外、ほとんどお呼びがかからない。なのに、鍋界にかぎってなぜ大きな地位を獲得したのか。たかが小役人のくせに、なぜ鍋業界に天下りできたのか。鍋業界でなぜ大きな顔をしていられるのか。

天下った各鍋会社での地位はほとんど役員待遇である。役員といっても、鍋の常連、豆腐、白菜、春菊、ネギなどといっしょのヒラトリというところだが、その地位はいまや不動である。

鍋の中で、ほかの連中が、たとえば白菜や春菊やネギや豆腐が、ビタミンです、蛋白質です、ツユしみこませます、ダシ出します、と大働きをしている中で、シイタケただ一人、なーんにもしない。ただいるだけ。

なのに無知な一般大衆は、「鍋にシイタケ、当然じゃん」なんて言っているのだ。この期に及んでもまだ言うかッ。まだわからんとか、テツヤ。(古いナ)

しかもです、この鍋の中のシイタケを、悪い奴だから食ってやろうとすると、必ずひと悶着起こる。

鍋の中の具は熱い。熱いから食べやすいように大抵のものは一口大に切ってある。白菜でもネギでも一口大に切ってある。人参でも大根でも切ってある。豆腐などは、大き過ぎたらハシで突きくずして食べればよい。

だがシイタケに限っては、どんなに大きなものでも絶対に半分に切ったりしない。切ってしまうとその存在自体が危うくなるからだ（その理由は後述）。大抵のシイタケは一口で頬ばるには大き過ぎる。ハシで突きくずそうとしても突きくずれない。

そこで嚙み切ることになるのだが、ここでひと悶着起こる。熱くてシルのしたたるシイタケを嚙み切るには、唇的にも形相的にも様々な問題が起きる。おまけに最近のシイタケは厚みがある。

わたくし
シイタケ
嚙りません！
女性の地位を
なんと心得て
いるのですか

この熱くて大きくて厚みがあって熱いシルのしたたるシイタケを、嚙み切ろうとしている人を見つめてはいけない。黙って見逃してあげるのがエチケットだ。

シイタケは、いざ食べようとすると、このように抵抗するのだ。本当にタチの悪い奴なのだ。

そんな、無能でタチの悪いシイタケが、なぜ「当

然じゃん」なのか。

鍋物は冬の食べ物だ。冬の野菜は色が薄い。

白菜、ネギ、春菊、大根、豆腐、白と緑ばかりで色の変化にも乏しい。

赤い人参を花型に切って入れたりするが、そんなにたくさん入れるものではない。

そこんところへ、まん丸で強いこげ茶色のシイタケを置くと、急に全体がしまる。

画竜点睛。鍋シイタケ茶丸睛。

墨一色の色紙に朱の印を押した効果。

飲食店での鍋物は、別の器に材料一式を盛りつけて持ってくる。

そのとき、曖昧な形ばかりの材料の中で、はっきりと丸く、はっきりとこげ茶色のシイタケは最大の効果を発揮する。

しかもです、ハッキリ茶丸に彫り込まれた白い＊形の彫りもの。誰が考え出したか、この彫りものをするようになってから、鍋界におけるシイタケの地位は磐石のものとなった。

サウナなどでは「彫りもののある方お断り」だが、鍋の世界では彫りものは高い評価を受けるのだ。

彫りもののないときは部長どまりだったのが、彫ってから一挙に重役になったと言われている。

最近は、家庭でもシイタケに＊印を入れるようになった。

いろんな家庭で鍋をごちそうになってみると、＊印を入れるおくさんと、絶対に入れないおくさんとがいることがわかる。同じおくさんが、ときどき入れたり、入れなかったり、ということはない。

全国のおくさんを、シイタケに＊印を入れるおくさんと、入れないおくさんに二分する分類の仕方もあるそうだ。（ありません）

ラーメン食べ放題

「ラーメン食べ放題の店を見つけましたッ」

という情報が入った。わが私設調査機関、ＨＴＣから報告があった。

ＨＴＣというのは「東日本食べ放題追跡調査研究協会」すなわち「ＨＴＴＣＫ」から、ところどころいいかげんに抜いて命名したものだ。

そもそもＨＴＣは、わが周辺の人々に、「食べ放題の店があったら教えてね」と頼みこみ、「ああ、いいよ」ということで設立された、由緒正しい組織なのだ。

ラーメンの食べ放題……。ウーム、何がどうなっているのか。実によくわかるような気もするが、あまりに単純すぎてよくわからないところがある。

たとえば寿司食べ放題なら、ワーイ、寿司だ、寿司だ、腹一杯食ってやるぞ、という気持ちになるし、焼き肉食べ放題ならば、ワーイ、焼き肉だ、焼き肉だ、気持ちわるく

なるまで食うぞ、ということになるのだが、ラーメンにはこの〝ワーイ感〟がまるでない。
　ラーメンなんていつだって食える。
　そのうえ、ラーメンなんてもな、アータ、ジルジル、ズーズー、ズージル、ジルズーと、ツユを飲み、麺をすすって食べ終えれば、あー、もー、おなかイッパイ、だけどナンダナ、丼に残ってるこのスープ、もうひとすすりすすってみっか、ジルジル、あー、ダメ、こんどこそダメ、お腹パンパン。ゲフとベフを連発の、ベルトゆるめの、汗ふきの、と苦しがってるところへ湯気の立った丼一杯のラーメンがもう一杯、オマットサン、と出てきた日にゃ、アータ、えらいことでっせ。

どう考えても、ラーメンは食べ放題に適してないような気がする。

しかし興味はある。

どのような仕組みで、ラーメン食べ放題を成立させているのか。

報告によれば、食べ放題はプライス九八〇円で時間は六十分だという。

店内はどのような雰囲気になっているのだろうか。

客はきっと若い人たちにちがいない。

店内は熱気ムンムン、喜色満面の若ものたちの間をラーメン丼が激しく行き交い、ツユはこぼれ、チャーシューはころげ落ち、メンマは踏んづけられ、「自分は八杯目いくでありますッ」「オッス」という客同士の大声、「十一杯目出ますッ」という店主の泣き声、「わたし実家へ帰りますッ」という店主の妻の黄色い声、というようなことになっているのだろうか。

ＪＲの渋谷の駅のすぐ近く、若い人だらけのセンター街を入ってすぐ右手の「万葉会館」地下一階の「ラーメン札幌」がその店だ。驚いたことに、この万葉会館は、地下一階から三階まではすべて飲食店で、そのほとんどの店が食べ放題をやっているのだ。

食べ放題専門の店というわけではなく、どの店もメニューの中に〝食べ放題の部〟を組みこんでいるのだ。

寿司、中華、しゃぶしゃぶ、ピザ、スパゲティ、スキヤキ、ホットケーキ（改装中）の食べ放題まである。

万葉会館は、実は〝放題ビル〟でもあったのだ。

「札幌」の入り口に、ラーメン食べ放題に関する看板が出ている。

『ラーメン食べ放題。お一人様九八〇円（税込み）。六十分。チャーシューメン、味噌ラーメン、バターラーメン、タンタンメン、いずれも食べ放題』とある。

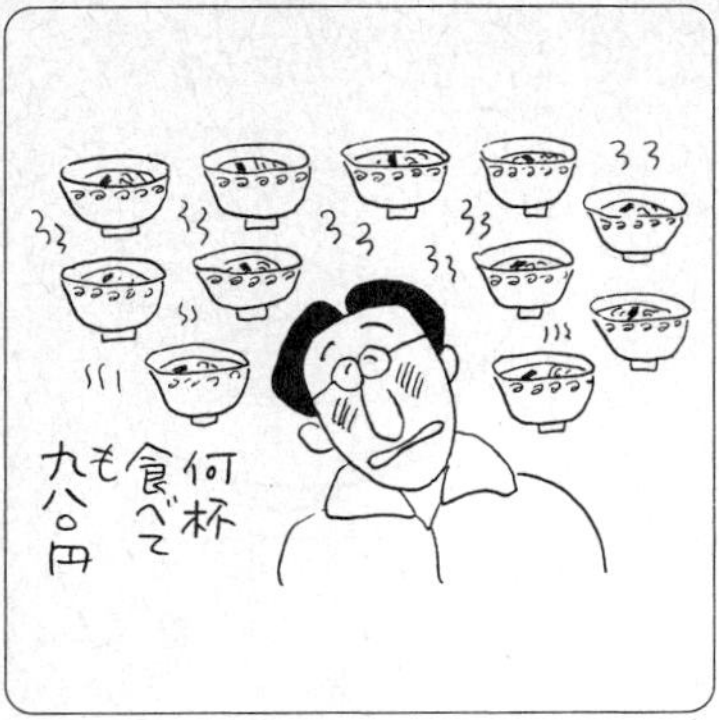

この店のメニューには、その他いろいろのラーメンやギョウザやタンメンや焼きそばなどもあるが、食べ放題はこの四種類に限るらしい。
店の入口に券売機があって、それによるとチャーシューメンを単独でたのむと七五〇円。味噌ラーメンが五八〇円、バターラーメン五五〇円、タンタンメン五〇〇円。
すなわち、チャーシューメンと味噌ラーメンの二杯を食べれば、モトが取れて三五〇円儲かる仕組みになっている。

儲け話としてはわるい話ではない。

確実に、とりあえず三五〇円儲かる。

看板には写真が出ていて、チャーシューメンは厚さ七ミリぐらいの大きいチャーシューが五枚のっかっている。

これ一杯で確実におなかはイッパイになる。いくら儲けるためとはいえ、そのうえ味噌ラーメンを食べるのはつらい。無理して食べても三五〇円しか儲からない。三五〇円儲けるには、ほかにいくらでも方法があるような気がする。

店内をのぞいてみる。

入り口から中がよく見える。細長いカウンターが奥に長く続いているかなり大きな店だ。

オバサンが一名、サラリーマン風の中年男一名、一番奥にアベックが一組。

時刻は五時ぐらいだったからけっこうはやっている店といえる。

券売機には「食べ放題九八〇円」のボタンもある。これを押すべきか、押さざるべきか。

店内の四名は、いずれも平和に、のんびりと、静かに麺を食べている。

いずれも〝放題の人〟ではないらしい。こういうふうに、清く、正しく、粛々と食べている人たちのところへ、放題男が入っていったらどういうことになるか。人々は驚き、うろたえ、あきれ、のけぞり、平和は乱されるにちがいない。

ぼくは単独の「チャーシューメン」のボタンを押し、中へ入って行った。

「放題の客は、ごくたまーにですね」

実直そうな中年の料理人はそう言った。

「これまで一番食べた人で六杯。一般的には二杯食べて少し迷って三杯目に挑戦し、三杯目を途中で断念するというパターンが多いです」

食べ放題もやってはいるが、ごく真面目な良心的な店のようだ。チャーシューメンもなかなかのものであった。

ソースか、醤油か

コロッケにかけるのはソースか醤油か。

そりゃあんた、ソースに決まってまんがな、コロッケに醤油かけて食べる人なんかいまへん、と簡単にケリがつくようにみえて、このテーマは意外に奥が深い。

あの江川紹子さんも醤油派であった。ある雑誌で対談していてそのことがわかった。江川さんは、コロッケばかりでなく、アジのフライ、トンカツにも醤油をかけて食べるそうだ。

上田賢吉氏も醤油派であった。

上田氏は、

「コロッケ、アジのフライ、トンカツ、エビフライ、すべて醤油ッ」

というバリバリの醤油原理主義者なのであった。ちなみに、上田氏とは、いつも近所

の飲み屋で会う上田薬局のご主人である。

さあ、困った。

このテーマは、コロッケに限らず、フライ物全般に及んでいくようだ。

だいたい醤油派は、中年以上の男性に多いような気がする。そして、どちらかというと少数派である。本人も少数派であることを自覚している場合が多い。

居酒屋のカウンターなどで、到着したカキフライを前にして、しばらく周りの様子をうかがっている。

カウンターの中の、料理人の様子もうかがっている。

そうして、みんなの関心がよそに向いた一瞬のスキをみて、すばやく醬油の容器を取りあげ、すばやく、しかしたっぷりとカキフライの上にかけ、すばやく元のところに戻す。

「いえ、醬油族はおっさんとは限りません」

と証言したのは、その飲み屋に同席していた内山弘氏（三十四歳）会社員であった。

「梅沢法子《のりこ》（二十六歳）ＯＬ、佐賀県出身は、アジのフライにも串カツにも醬油をかけて食べています」

と言う。梅沢法子は内山氏の会社の同僚である。

「そうか、梅沢法子は串カツに醬油をかけて食べていたか」

と、つぶやいて考えこんだのは、やはりそこに同席していた食品会社勤務、横山忠夫部長（五十四歳）であった。

「ウチのカミさんもね、やはり醬油族で、カミさんがコロッケに醬油をかけて食べているのを見ると、見てはならないものを見たような気がして……」

つまり、至る所に醬油族はひそんでいるのである。

不思議なことに、ソース派が、

「きょうは気分を変えて醬油でコロッケを食ってみっか」

ということもないし、醬油派が、

「きょうはソースで」

ということもない。

双方とも、断固ソースであり、断固醤油なのだ。

え？　ぼくですか。もちろんぼくは断固ソース派です。コロッケ、トンカツ、エビフライ、いずれも断固ソースです。しかし、アジのフライあたりだと、醤油でもいいななんて迷う。特に、そこにゴハンがからんでくるとよけいそう思う。

カキフライでも迷う。カキフライが一皿に六個のってきた場合など大いに迷う。六個のうち、二個だけ醤油で食べてみてもいいな、なんて思う。

　アジのフライは、幸いまん中から半分ずつに分けることができる。片身をソースで、あとの片身を醤油で、なんてのもわるくないな、なんて思う。
　それから串カツもけっこう迷う。
　串カツはその日の気分で変えてもいいような気がする。
　え？　エビフライにはタルタルソースがついてくることが多い？　そういえばカキフライもタルタル

だ。

だいたいタルタルって、味が薄味で、ゴハンのおかずとしては心もとないところがあるので、タルタルのところへお醤油をポタポタってたらして、味を補って食べたい。

実際、レストランなどでカキフライを食べるときは、周りをすばやく見回して、すばやくタルタルに醤油をたらす。

どうもなんだか〝断固〟があやしくなってきたようだ。

ソーユ、とか、ショウス、とか、ショータルというのはどうでしょうか。

ソースに醤油をひとたらし、あるいは醤油とソースを半々とか……。

そういうふうに考えていくと、ギョウザというのは偉いなあ、と思う。

酢と醤油とラー油。以上。きっぱり。

人々に迷う余地を与えない。

ギョウザは人々をうまく躾《しつ》けた。

最初にきちっと、こういうふうに躾けられれば、人々はそれに従うものなのである。

そこへいくと、シュウマイは最初の姿勢が曖昧だった。シュウマイは基本的には醤油である。

しかし、定食屋あたりで、刻んだキャベツを下に敷いて登場すると醬油の強制力は薄まる。

定食屋のシュウマイには、小皿がついてこないから上からかけるよりほかはない。上から醬油をかけると、醬油にはソースのような粘着力がないから、醬油はシュウマイの肌をすべり落ち、からまったキャベツの間を素通りして皿の上に落ちていく。

この〝キャベツの間を素通りして落ちていく醬油〟を見るのが悲しい。なんだか気の毒な気がする。

大志を抱きながら、壮図むなしく用済みとなっていく醬油たちが不憫でならない。

そこでシュウマイにソースということになる。

〝気の毒だからソース〟という選択もあるのだ。

このように、ソースか醬油か問題は奥が深いのである。

レジ際心理

スーパーのレジのところには〝レジ際商品〟というものが置いてある。

レジに行列している人が、ヒマのあまり、つい手に取り、眺めているうちについそれをカゴに入れてしまう、といったような商品を選んで置いてある。

レジに並んでいる人はとにかくヒマだ。つい、ヒマのあまり、つい、いろんなことを考える。つい、いろんなものが目に入る。

〝レジ際心理〟というやつですね。

とりあえず、まず自分の前の人のカゴの中を見る。前の人のカゴの中身が山盛りいっぱいだと、その人がどんな人であれ「ワルイ人」に思える。

「ヨクナイ人」という言い方でもいい。

なぜヨクナイかというと、カゴに山盛りいっぱいの買い物は、その計算に多大な時間

を要する。

したがって、次の人（ぼくですね）に多大な迷惑をかけることになる。

カゴに山盛りいっぱいの品物を見ているうちに、その持ち主のオバサンが憎らしくさえなってくる。「ワルイ奴だ」と思う。「物欲の激しい人だ」と思う。「だからこんなにたくさん買いこむんだ」と思う。

「根性も曲がってんだよね、こういうオバサンは」

と何の根拠もないのにそう判断する。

そのオバサンにしてみれば、あれも必要、これも必要ということで、あれこれ買った結果、カゴがいっぱいになっただけなのだ。

根性の曲がり具合とはまったく関係がないのだ。顔を見てみれば、ごくふつうのオバサンで、ごくふつうに順番を待って立っているだけなのだ。

こんなにうしろのオジサンに憎まれていることも知らぬげにボンヤリと立っている。

その無神経が憎い。やっぱりヨクナイ人だ。根性も曲がっているにちがいない。

だが、そのオバサンが、なにか一つ買い忘れたものがあって、あたふたと行列から離れると、

「なんだ、気のいいオバサンじゃないの」

と、急に「ヨイ人」に昇格する。

逆に、買い物カゴの中身が少ない人は、それだけでもう「ヨイ人」である。

カゴの中にタワシが一個、なんていう人は、これはもう善意のカタマリのような人だ。


レジの行列は、ふつうは何事もなく粛々と進むものだ。

淡々と一人ずつ金を払い、カゴをかかえて行列から離れていく。

誰もがそれがあたりまえのことだと思っているちょうどそのとき、アクシデントが発生する。

レシート切れ、というのがときどきある。

使い切ったレシートを取り出し、新しいのと入れ替えるのにけっこう時間がかかる。見習いだったりするとさらに時間がかかる。

せっかくあと一人で自分の番というときに、これをやられると、「ンモウッ」「ッタク」と地団駄を踏みたくなる。それまで何事もなく順調だっただけにショックは大きい。

だがそれを人に悟られてはならない。特に隣のレジの行列の連中に悟られてはならない。

「ハハハハ。隣の列でトラブル発生。ハハハハ。あっちの列に並ばなくてよかった、よかった」

先日の一件は、実はこのようなわけのものであったのです
ハア？

と喜ばれることになる。

ぼくはぜんぜん急いでないし、行列が止まってもなーんとも思ってません。ダイジョウブ。ヘイキ。ハハハハ。と平静を装うが、ハラワタはちゃんと煮えくりかえっております。

いつもは一九八円の干しうどんが、「本日限り三把五〇〇円」になっていることがある。それを買った。その銘柄のうどんが好きで、いつも三把ずつ買

っているのだ。

安いから買ったわけじゃないのだ。いつも三把ずつ買っているのだ。

あのね、ぼくのうしろのオバサン。そうやってぼくのカゴの中をじっと見ているが、そういうわけなの。

安いから飛びついて買ったわけじゃないの。三把五〇〇円じゃなくても、きょうはこれを三把買うつもりだったの。安売りされてかえって迷惑してるの。

そのことを、どうしたらこのオバサンにわかってもらえるだろうか。

「じつはですね、オバサン」

と、このことを口頭で伝えたほうがいいだろうか。あるいは文書にして後日手渡したほうがいいだろうか。

あるいはレジの女性に、

「ね、ぼくはいつもこのうどん三把ずつ買っているよね」

と証言してもらったほうがいいだろうか。でも、

「そんなこと知るか」

と言われたらどうしよう、と心は千々に乱れるばかり。

つい先日のことだが、ぼくの前に並んだオバサンが殻つきピーナツの大きな袋を四袋もカゴの中に入れているのを見た。

とても大きな袋で、ポテトチップの大袋の一・五倍ぐらいある。

きっとこのオバサンはピーナツが好きなのだろう。特に殻つきに目がないにちがいない。

でも、なにも四袋いっぺんに買わなくてもいいではないか。

どう考えても、いっぺんに一袋しか食べられないと思う。

せめて二袋買って、それが無くなってからまた二袋買えばいいではないか。この四袋を、幾日かかって食べきるつもりなのだろう。

でも殻つきピーナツは、そんなに湿《し》けったりしないし、十日ぐらいは保《も》つから、ま、いいか。

なんて、人の買い物の余計な心配をし、一人で納得したりしている。

春のだるま市では……

昔はやったキャンディーズの、〽もうすぐハールですねえ、恋をしてみませんかー、という歌を、もうすぐ春のころに聴くと、〽心がウキウキしてきませんかー。

ぼくはいつも心がウキウキしてくるのですー。

というようなことを思っていたら、「春のだるま市」という文字が目に飛びこんできた。私鉄の駅のポスターから飛びこんできた。「春を呼ぶ深大寺のだるま市　三月三日〜四日」とある。ふつう、だるま市といえば、正月のころの高崎のだるま市を思い出すが、春のだるま市というものもあったのだ。

「東京の春は深大寺のだるま市からやってきます」

とポスターにはあるのだが、「だるま市」というのはどことなく年寄りくさいところがあって、どうもなんだか心がウキウキしてきませんねー。

でも、とりあえず行ってみましょうかー。

調布の深大寺に行くバスは、JRの吉祥寺駅と三鷹駅から出ている。深大寺の隣は神代植物公園ということもあって、陽気がよくなってポカポカしはじめると、誰もが、ちょっと散策をかねて行ってみましょうかー、という気持ちになるようだー。

深大寺は深大寺蕎麦の産地としても有名なので、ついでに蕎麦でも食べてきましょうかー、ということで深大寺のだるま市は大変な人気があるのだ。

ぼくは四日の日に吉祥寺からバスで行ったのだが、だるま市に行く大増発の臨時のバスの前はオバチャンたちの大行列。並んでいるのはぜーんぶオバチャン。そのところどころに、オバチャンが連れてきたオジチャンがはさまっている。深大寺に到着して、次から次へ停まるバスからころげるように降りてくるのはぜーんぶオバチャン。

だるま市を終えて続々と発車するバスの中は、ずんぐりむっくりのだるまのようなオバチャンと、オバチャンたちが買っただるまとで、バスの中はだるまだらけ。

深大寺の本堂に至る短い参道と交差して、長さ百メートルほどの細い小道があって、その両側に露店がびっしり並んでいる。

その数およそ数百。やきそば、たこ焼き、おでんなどの露店に混ざって、ところどころにだるま専門の露店がだるまを並べている。

この細い百メートルほどの小道が、すべてオバチャンで埋まった。

翌日の新聞に、「この二日間の人出は十万人を超えた」とあったから、この小道は一日五万人のオバチャンたちで埋めつくされたことになる。

とりあえず本堂にお賽銭をチャリン。恥ずかしながら五円玉です。

本堂からすぐのところの露店で、一個三十円のザラメつき大アメ玉を一個買って口の中に放りこみ、片頬をふくらませつつそぞろ歩く。これが失敗だった。

ところどころに紅梅、ところどころに白梅。ところどころに警官。少しそぞろ歩いて

「深大寺そば団子」を発見。

海苔が巻いてあって串に四つ刺さっていて百円。これを一本購入。口の中からアメ玉を出して左手に持ち、右手で団子をかじる。海苔の下にはタレや醤油はついておらず、団子本体にうす甘い味がついている。味が薄くてなんだか中途半端な感じだが、その分蕎麦粉の味がよくわかる珍しい団子だ。

海苔と蕎麦粉がよく合い、海苔と蕎麦粉の団子が春のそよ風によく合う。

アメを口の中に戻して少し歩くと、「高菜蒸しパン」発見。茶色い蒸しパン（蕎麦粉パンらしい）に油で炒めた高菜漬がはさんである。せいろで蒸していて熱くてウマそうだ。一個購入。百五十円。

また口の中からアメ玉を出し、高菜パンをかじる。アフアフ。しょっぱくておいしい。アメ玉を戻して数メートル。「そば饅頭」発見。

五段ほどの大きなせいろで、酒饅頭のように盛んに湯気をあげながら売っている。一個百円。一個購入。ここでは何でも一個売りだ。またアメ玉を口から出して饅頭を頬ばる。アフアフ。

蕎麦粉のツブツブがよく見える皮の中のアンコは、かなりゆるめで甘さひかえめ。熱くて熱くて、アンコが歯にひっつくと歯の芯まで熱い。

応接室に案内しておきながら、客が来たといっては外に追い出して、アメさんには本当に悪いことをした。

ハッカパイプを買う。五百円。スースー吸うと、スカスカとハッカの香りとともにほんの少しパラパラと砂糖粒が口の中に入ってくる。ハッカパイプの場合は、アメさんに外に出てもらわないで済み、同居という形でアメさんにも楽しんでもらった。

このへんでだるまを買わねばなるまい。並べてあるだるまには値段が一切ついてない。

「このだるま二千八百円だけど二千円でいいよ」

といきなり値段が下がる。いきなり八百円も下がって、自分が買うわけでもないのにすごく嬉しい。一番大きい一メートル近いだるまは「五万円！」だと言う。「だけど買うんならちがうよ」とヘンなことを言う。ぼくは身長十センチほどのだるまを「千五百円だけど千円」で買った。

「時雨茶屋」という茶店に入る。

店の横の庭でたき火をしていて、その周りに緋毛氈《ひもうせん》の腰かけ。腰かけの横には大きな白梅。

流れてくるたき火の煙を浴びながら、野草の天ぷらと蕎麦を食べる。野草の天ぷらは、セリ、タラ、フキノトウ、ノビルなどで、春の野原の味がする。

ビールも注文。ビールは地ビール「深大寺ビール」。苦みの少ないスッキリしたビールで、飲んだあと喉の奥に何ともいえない清涼感とホップの香りが残る。

春のだるま市も、これでなかなかいいものですよー。来年は行ってみませんかー。

＊「春一番」穂口雄右作詞

タコ焼きはショーだ

大阪の人に比べると、東京の人はタコに対する思い入れが少ない。タコに対してよそよそしいところがある。

ところが大阪の人はタコを仲間だと思っているようだ。隣のオッチャンと同格に扱っている。

「このタコ！」とか、「好かんタコ」と言ったりするのはその表れである。

だからタコ焼き屋が繁盛する。

〝大阪にはタコ焼き屋が一万軒〟という説もあるそうだ。

大阪では〝一家に一台タコ焼き器〟は常識だそうで、食堂の〝タコ焼き定食〟も常識なのだそうだ。

昨今東京でもタコ焼きがブームになってきていて、渋谷の「タコ焼き戦争」なるもの

も発生している。

ついこのあいだ、吉祥寺の丸井の並びのタコ焼き屋に行ったら行列ができていた。夜の十時ごろで、コンパ帰りらしい学生が十人ほど並んで焼きあがるのを待っていた。

これ幸いと、順番を待ちながら焼くのを見ていたが、タコ焼きを焼くのって、一種のショーですね。ステーキの「紅花」の、包丁ショー以上のショーといってもいい。

コセコセ、セカセカ、チマチマと、まことに地味で、派手なところはないが見ていて飽きない。何十個と並んだ穴の上に、小麦粉のゆるい生地をサーッと流し入れると、穴はたちまち見えなくなって、一面、白い田んぼとなる。

そこへ、紅生姜、揚げ玉、ネギなどを、穴の位置を無視してふりまいていく。ここで、見ている客は漠然とした不安に襲われる。

(そんなふうに、個別の概念を無視していいのか)

という不安である。と同時に、作っているオニイチャンに対する不信の念も少し芽ばえる。

(オイ、オイ、大丈夫か)

というやつだ。特に、オニイチャンが自分の分を作っているときには不信の念はいっそう強くなる。

そういう疑惑の目で見ているところへ、こんどはタコの切れはしを、またしても穴を無視したようにまき散らしていく。

「オイ、オイ、それでちゃんと一穴一タコになっているのかよ。一穴二タコならいいけど、一穴無タコは許さんかんな」

と、このショーは、利害がからんでいるだけに観客の目は真剣だ。

次に、穴の周りの生地を金串で穴の方に掻き寄せると、一面白い田んぼだったところから黒い鉄板が少しずつ姿を現し、作り手の個別化への意志が明らかとなり、観客の不信は少し薄らぐ。

頃合いをみて、オニイチャンは金串の先で穴の周りをひと掻きすると、半円のものが突然立ちあがり、その下側へ周りから掻き集めたものを押しこみ、全体をさらに半回転させると、形はすでにもうタコ焼きそのものだ。

このあたりの動作は手練の早技といっていい。

ここに於いて観客は肩の力を抜き、不信の念を解き、少なからぬ尊敬の念さえもってオニイチャンを見直す。

タコ焼きの
ニイチャンは
茶パツ
耳ピアスが
似合う

このあと、タコ焼きは串の先で何度も回転させられ、ショーは終了する。

八個入ったプラスチックのパックを押し頂いて行列から少し離れる。

焼きたてのタコ焼きは、手で持っていられないほど熱く、ふりかけられたけずり節がその熱気でヒラヒラ揺れている。このヒラ揺れがタコ焼きの風情だ。二本刺さっているヨージの一本を取りあげ、エート、どれからいこか。ホナ、このまん中の、けずり節ヒラヒラからいきまひょか。

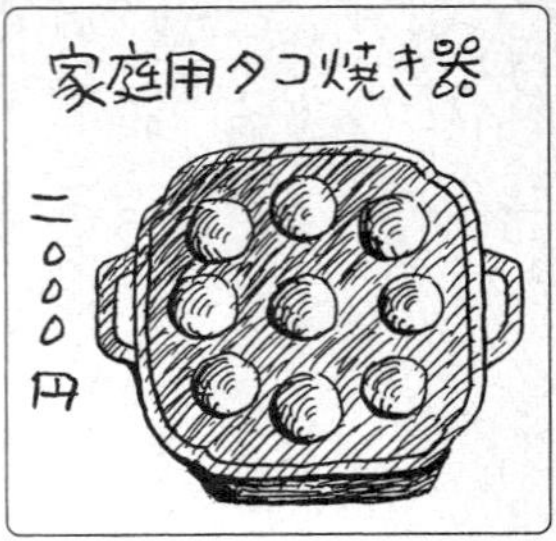

最近のタコ焼きは、巨大化、ゆるゆる化の傾向にある。しっかりヨージで刺さないと取り落とすおそれがある。

だからといって、芯のタコめがけて深々と突き刺す人がいるが、あれはあきまへんで。やはりタコ焼きは、皮のあたりを軽く突き刺し、不安定にユラユラ揺れているやつをかじるところにおいしさがあるのだ。

いま、目の前で、ヨージに刺された大きなタコ焼きが、湯気をあげてユラユラ揺れております。では、いきます。

「アハッ、オホッ、ハフハフ、イハイニ（意外に）アフフテ（熱くて）、ホヘッ、ホガッ、ホハ、ホフッ」

タコ焼きを口に入れて、いきなり全体を嚙みくだく人は少ない。まず外周部を二、三回優しく嚙み、それから、タコいきますッ、とタコを嚙む。

タコ焼きを口に入れた瞬間から、歯はもうタコを恋しがっているのですね。乳児が乳首を求めるように、歯がタコを恋しがっている。

そこを、ドー、ドー、と制し、マテマテと押しとどめてから、ヨシ、イケー、とタヅナをはなしてやるわけです。

歯はタコを求めてまっしぐら、たちまちタコに突きあたり、あたった瞬間、居ター、と喜ぶわけです。たしかに、ゆるゆるの中の弾力のある硬さは、歯ならずとも、歯の持ち主の本人も嬉しい。(居てくれたのね)と嬉しい。もし、タコを求めてゆるゆると噛みしめていって、中にタコがいてくれなかったらどんなに寂しいことか。どんなにむなしいことか。

ゆるゆるの中にときどきポツポツと歯にあたる紅生姜のおいしさ。それらと共にアグアグと噛みしめるタコの歯応え。飲みこんでから口の中に残る青のりの香り。タコ焼きの中身はタコじゃないとダメなんですね。イカではダメ。肉でもダメ。ソーセージでもダメ。ラッキョウでもダメ。

タコの食感ばかりでなく、タコ焼きという語感、タコに対するオッチャン的親近感、ヨージで食べるヨージ感、ヨージの先で揺れるゆらゆら感、焼きあがるのを待ちながら見ていたタコ焼きパフォーマンス、それらが相まってタコ焼きというものが成立しているからだ。

タコ焼き実践篇

タコ焼き屋のニイチャンが、タコ焼きをヒョイヒョイ引っくり返しているのを見ていると、誰だって自分でもやってみたくなる。

自分もあんなふうに、タコ焼きが焼けたら楽しいだろうな、と思う。え？　わたしは思わない？　あんなことやりたくない？　そういう人は、そういう人生を送りなさい。タコ焼きを一度も焼かない人生を送って死んでいきなさい。

タコ焼きを自分で焼くといろんな利点がある。まず、どこにもない自分流のおいしいタコ焼きを作ることができる。タコじゃなくてイカはどうか。ウインナソーセージはどうか。紅生姜の代わりにカリカリ梅干しを刻んだのはどうか。まてよ、ザーサイという手もあるぞ。うん、これはビールに合いそうだ。

辛いタコ焼きというのはどうか。たとえばタバスコをうまく使ったらどうか。これも

毎晩毎晩
タコ焼きで
楽しい楽しい
人生を送ってる
単身赴任のオトーサン

ビールに合いそうだ。ネギの代わりにニラはどうなのか。と、毎日毎日、変わったタコ焼きを焼いて食べることができる。

どうです、何とも楽しい人生ではありませんか。

ふつうのタコ焼き屋の生地は、小麦粉、卵、ダシ、山芋ぐらいしか入ってないが、鶏ガラスープで溶くというのはどうか。バター味というのはどうなのか。

なにしろ本職ではないのだから、儲けることを考えないでいい。材料にいくらでも金をかけることができる。いくら金をかけたところで、タコ焼きではそんなに金のかけようがない。

まずタコ焼き器を買ってきた。二千円。厚い鉄板でできたやつで、穴が九個あいている。小麦粉、タコ、揚げ玉、卵、ネギ、干しエビ、紅生姜、青のり、ソースを買ってきた。これは正統派のタコ焼き用だ。実験用として、ザーサイ、ニラ、イカ、ウインナ、梅干し、中華スープの素を買ってきた。

では、いきます。

ボールに小麦粉を入れ、カツオと昆布のダシと卵と塩を入れて溶く。水の量はいいかげんでよく、おたまですくってタラタラではなくポタポタと落ちる程度。生地はゆるくても、かためでも、結局はちゃんと焼けるが素人はかためが無難だ。

各材料をこまかく刻み、卓上コンロのまわりに並べておく。白状するが、最初は何回か失敗した。タコ焼きがグズグズにくずれてしまうのだ。あとでわかったことだが、これは、タコ焼き器が新品のせいだった。

新品のせいで鉄板と油がよくなじんでなかったせいで、油がなじんできてからは実にもう快調。

何回か焼いてみて、「素人がタコ焼きを焼くにあたっての大切な心構え五か条」というものができあがった。

(1) 自分は商売でタコ焼きを焼くわけではないということを肝に銘じること。すなわち、焼き始めると、どうしても本職の人の真似をしてスバヤイ手付きをしようとしてあわててしまうんですね。客が待ってるわけでもなく、いっぺんに大量に焼く必要があるわけでもないのだ。

(2)　少数精鋭主義でいく。五つ子、六つ子の面倒をみるのは大変だが、一人っ子なら十分手塩にかけて育てることができる。すなわち、最初は四個から五個まで。穴が九つあるからといって、いっぺんに九つ焼くのはムリだ。

(3)　生地はかため。

(4)　田んぼ主義はとらず、穴重視主義でいく。すなわち穴から生地をあふれさせない。あふれさせてあたり一面を田んぼにしてしまうと、あとでタコを入れるとき、穴がわからなくて大いにあわてる。本当にあわてる。

(5)　タコは小さく。一センチ角以内。

では、焼きます。

タコ焼き器をガス台にかけて点火。最初から弱火でゆっくり熱し、鉄板が少し熱くなったところで油をこすりつける。おたまで生地をすくって一穴ごとに流しこむ。量はフチまで。

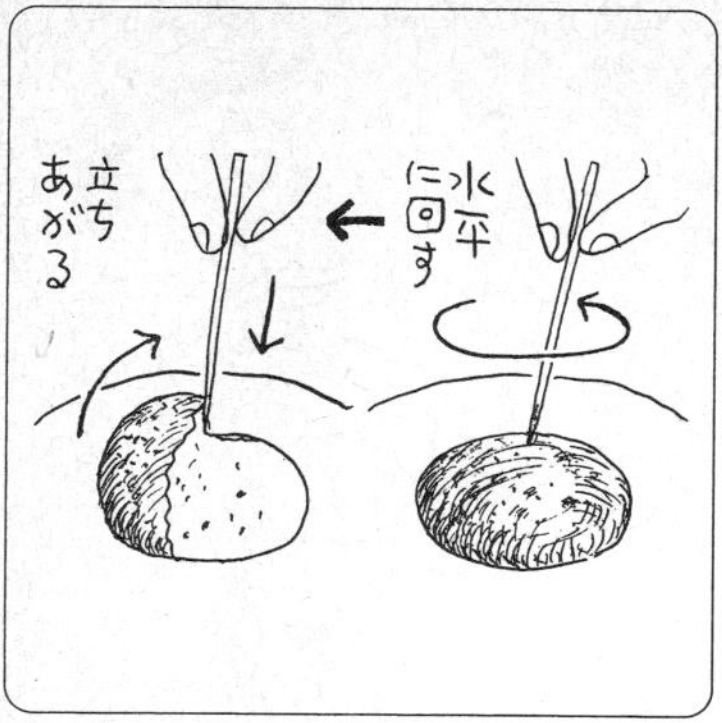

次に、干しエビ（刻む）、ネギ、紅生姜（多め）、

揚げ玉を一穴ごとに丁寧にハシなど使って入れていく。

一分経過。タコ投入。穴から一気に生地があふれ出る。

そのまま一分経過。ここで金串の先を穴のフチに刺し、水平に回してみる。回らなかったらまだ焼けていない。

水平に回ったら、そのまま穴のフチに沿って金串を底のほうに下げていくと、アラ不思議、半分だけ丸く焼けた生地が立ちあがってくる。その下側に、穴のまわりにあふれて散らかっていた具と生地を押し込む。この作業は金串よりハシのほうがやりやすい。

押し込んだら、立ちあがっていた半円のドームをフタをかぶせるようにかぶせる。このまま一分。

ここから先はもう楽しい楽しい〝クルクル〟があるだけ。回しなさい。楽しみなさい。笑いなさい。

クルクルは一分。つまり生地投入から計四分でタコ焼きは焼きあがる。表面をうんとカリカリにしたかったらもう一分。

言っときますけど、焼きあがったばかりのタコ焼きはものすごく熱い。具に何が入っていようと、いいタコを使おうと、熱くて熱くて何が何だかわからない。ほんのちょっと冷ましてから味わうと、いろんな味がわかってくる。

ソース、けずり節、青のりをかけて食べるばかりでなく、醬油もおいしい。タバスコもいいし粉チーズもいい。アンチョビソースはビールに合う。

マヨネーズはすでにいろんな店でやっているが、ほんのちょっと醬油を混ぜて、アタリメ風にするのもよい。

このところ、毎晩毎晩、いろんなタコ焼きを作ってこれをツマミにビールを飲み、楽しい楽しい人生を送っています。

ダンゴ入門

いよいよ桜満開。

満開の桜の木の下は〝花より団子〟の人々でいっぱいだ。

この〝花より団子〟という諺、十人が十人、そのとおりだと納得しているが、よく考えてみると様々な問題を含んでいる。この諺では、花が美しいものの代表、団子が食欲の代表となっているが、そこに問題はないか。

欧米にもこれに似た諺があって、

Bread is better than the songs of birds.

となっていて、ちゃんと、正しい食の代表を諺に送りこんでいる。

確かに昔は、花の下でみんな団子を食べていたのかもしれない。

だが今はちがう。この諺は実情に合わなくなっている。

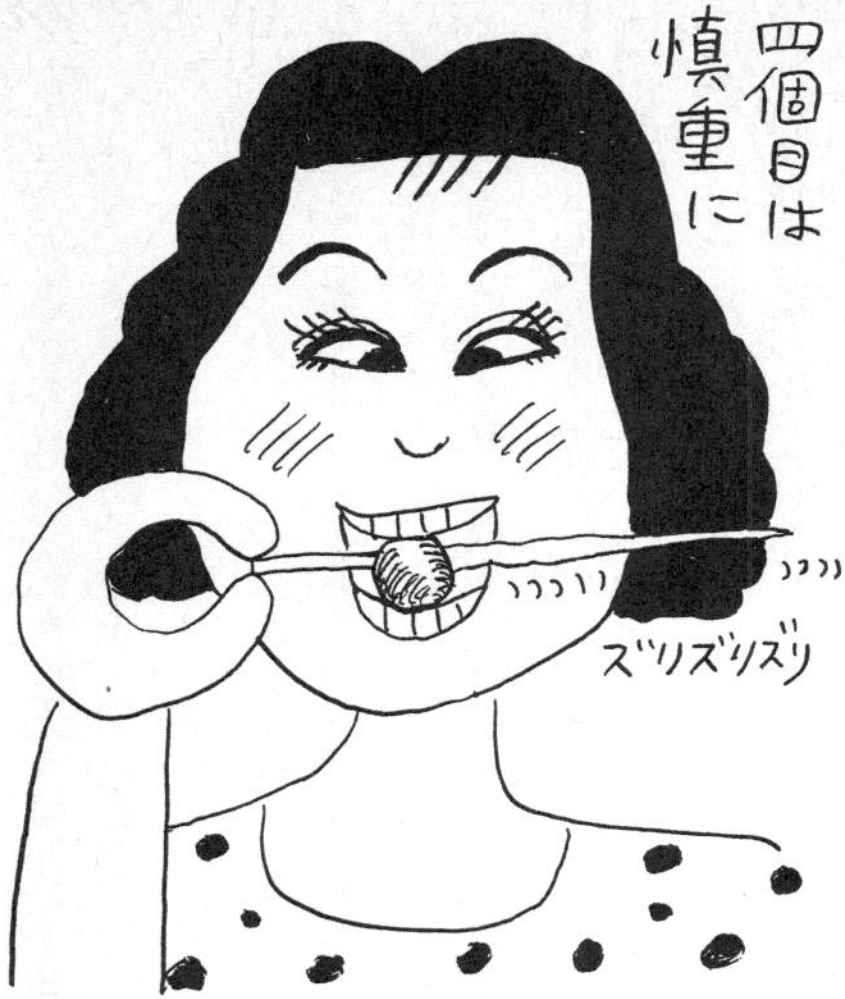

　辞書とかイミダスなども、時代に合わせて改訂していくが、諺もそうすべきではないのか。文部省あたりが音頭をとって、頃合いをみて改訂版を出すべきだと思う。

〝花よりヤキソバ〟〝花よりポテトチップ〟〝花よりヤキニク〟

このほうが、特に若い人には理解しやすい。

　昔は確かに、人々は盛んに団子を食べていたようだ。ご存じ「水戸黄門」では、うっかり八兵衛の、

「ああ、ハラへった。ご隠居。このへんで団子でも食べて休んでいきましょうよ」

というセリフで番組が始まる。

そのぐらい各地に、それぞれの名物団子があった。桃太郎の鬼退治にも団子が出てくるし、中秋の名月に供える月見団子の風習も盛んだった。団子鼻という表現もある。

そのころから比べれば、確かに人々は団子を食べなくなったが、町の和菓子屋に行けば、今でもちゃんとお団子が並んでいる。

しかもショーケースのかなりの部分を占めて、つぶアンに、こしアン、甘から、生醤油、海苔巻、スアマなどの団子が、串に刺されてずらっと並んでいる。それをオバサンが、あれを一本、これを二本というふうに買っているのをよく見かける。

団子は亡びず。

団子には、わざと串に刺さない方針の団子もある。有名な「言問《こととい》団子」や寅さんの実家の団子も串に刺さない。

でも団子は、やっぱり串あっての団子だと思う。串に刺してないと、ただ丸いものがゴロゴロしているだけだが、これを四つずつ串に刺してやると俄然絵になる。

突然、整然美が生まれる。

静寂美さえ感じられる。

実際、団子たちは刺されたがっているのだ。

団子は、生まれながらにして、集団主義の傾向を持つ。バラバラの団子は集結したがっているのだ。

また帰属意識も旺盛である。どこかに帰属したがっている。

そういう連中の前に竹串を呈示し、これで刺してやるととても喜ぶ。

なにかこう、ホッとした様子さえうかがえる。

皿の上にバラバラの団子が八個並んでいて、「どうぞ」と言われた場合、なかなか手が出しにくい。

ところが、四個ずつ串に刺して皿の上に二本並べて出されれば、ごく自然に手が出る。思わず出る。

食べるつもりがなくてもつい手にとりたくなり、それをじっと見ているうちについひとかじりかじりたくなる。

最初の一個はスッと抜ける。

二個目から少し難渋する。一個目を抜いたときの残りが串にへばりついているからだ。つまり串が少し太くなっている。

三個目はさらに難渋する。引き抜く距離も長い。

四個目は割れたりする。割れないように、横かじりのまま、目を寄り目にして慎重にズルズルと引き抜いている人をじっと見ているのも楽しい。

口中に転じた団子を、ウンニャラコ、ウンニャラコと噛みしめる。上新粉や白玉粉独特の粘りが、餅などとは少しちがったウンニャラコ運動をもたらすのだ。ウンニャラコ運動の結果、団子に少しずつ唾液が浸透し、次の運動はニッチャラコになる。

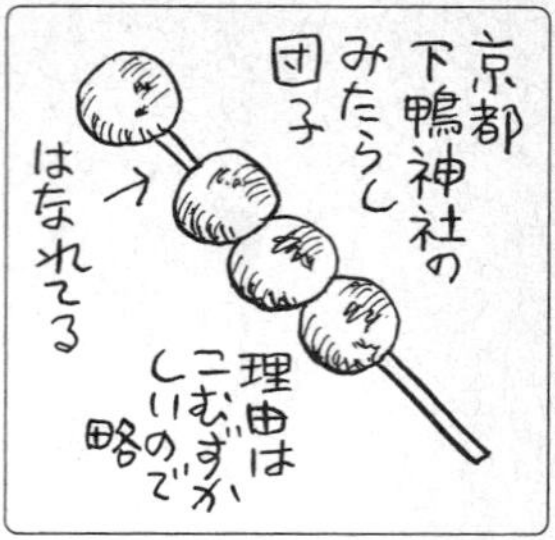
京都下鴨神社のみたらし団子
はなれてる
理由はこむずかしいので略

このニッチャラコのとき、ニッチャラに合わせて上下に首を振る人もいる。この首振り運動は、餅やセンベイやヨウカンを食べるときにはない団子独特のものだ。

上新粉や白玉粉の粘りと、アンコのかすかな粘りと全体の甘みが、自分の求めていた団子の味にあまりにぴったりと一致するので、ひと噛みごとに「ウン、ソー、コレ！」「ソー、ウン、コレ！」と首を振らせるのだ。ひと噛みごとの納得が、首を振らずにはいられなくさせるのだ。

団子は串。串あっての団子。だが串のための不都合もある。アンもの、甘からもの、スアマものと、各種ひととおり全部、一個ずつ食べてみたいというとき不都合だ。一串取りあげれば四個食べなければならない。

そこでぼくは考えましたね。

寿司屋形式の団子屋はどうか。

「なにからいきましょう？」

「まずつぶアンからいこか。アンコ多めで二個刺しね」

「次は甘からいこか。醬油強めにして。あ、一個だけね。串抜きで」

と、まことに快適に団子を楽しめる。

外国人に知られた日本食といえば、寿司、天ぷら、すきやきということになっているが、この際、ぜひ団子もそこに加えてもらいたい。

全日本団子振興会あたりに、昔話の桃太郎にも登場する伝統食として、大いにＰＲしてもらいたい。

トラディショナルでキュートなジャパンのスナックで、メイド　オブ　ライスパウダーのライク　ア　ゴルフボールで、バンブースティックによってグループ化されて販売される、というようなパンフレットを、とりあえず空港で配るというのはどうか。

皿を割る居酒屋

一度やってみたい〝ウップン晴らし〟はたくさんある。

サラリーマンの人だったら、よく言われる〝辞表たたきつけ〟ということになるのでしょうか。ぼくだったら〝ちゃぶ台引っくり返しの儀〟というのをぜひ一度やってみたい。「巨人の星」の星一徹がよくやっていたあれです。

ちゃぶ台の上に、ゴハンや納豆やらのおかずと味噌汁や醬油さしやらをこまごまと並べておいて、突如、何事か叫びながらバーンと引っくり返す。

さぞかし爽快にちがいない。

ただし、そのあと始末がいろいろと大変だけどね。

皿をたたきつけて割るというのはどうか。ちゃぶ台引っくり返しの縮小版、単品版というわけなのだが、これならわりにラクにできる。あと片づけも簡単だし一応ウップン

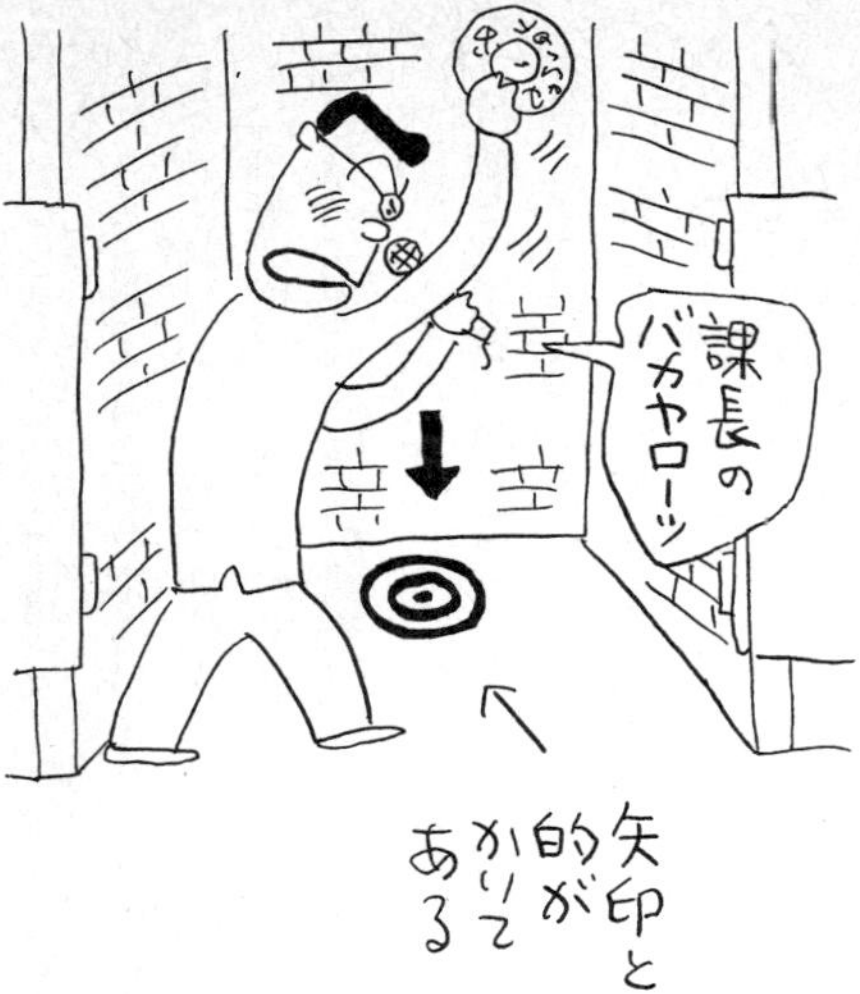

も晴れる。
ＪＲ五反田駅西口の近くに、客に皿を割らせる飲み屋があるという。
やけ酒を飲んだ客に皿を割らせているらしい。カーチャンの前で皿を割ると、そのあといろいろ問題が起きるが、会社の帰りに割って帰ればウップンも晴れ、家庭も安泰だ。うまいことを考えついたものだ。
どういう仕組みになってるかというと、店の中にレンガで囲まれた畳一畳ほどの〝皿たたきつけコーナー〟があって、客は店から一枚百八十円の皿を買い、「課長のバカヤロー」とか叫びながら皿を床にたたきつけるのだという。なんだかクラくてこわいなあ。

夕方の七時ごろ、おそるおそる行ってみると、店内は大変な混みようだ。

店の名前はそのものずばり「やけ酒」。やはりそうなのだ。やけ酒飲んで暴れる店、じゃなかった、皿をたたき割る店なのだ。

店の中は女性の客も入り混じってワイワイガヤガヤ、なんだか陽気に盛りあがっている。どうも様子がヘンだ。全然クラくないのだ。

奥に細長い店で、奥半分がテーブル席、前半分が立ち飲みのカウンターになっていて、収容人員は三十五人ほどか。そのちょうどまん中あたりに、ありました、〝皿割りコーナー〟が。

西部劇のバー風の開き扉がついていて「ストレス解消コーナー」と書いてある。中をのぞくと、皿の破片が少し見えるが、きょうはまだここを利用した人はいないようだ。

とりあえずビールでも飲んで様子を見ることにしよう。

生ビール中ジョッキ三百二十円。ずいぶん安いではないか。

つまみはどんなものがあるのだろうか。ナニナニ、コロッケ、レバニラ炒め、鶏唐揚げ、青椒肉絲《チンジャオロウスウ》、ローストビーフ、塩から、おしんこ、肉じゃが、鮪刺し身など全三十一品、すべて百八十円です!? するとローストビーフも百八十円!? とりあえず、ローストビーフとレバニラ炒めと鮪刺し身をとってみましょう。

どうせ百八十円のつまみなんて大したことないと思ってるでしょう。ところがこれが、どれもこれもちゃんとしているのです。全品、直径十二センチぐらいの小皿にのって出てくるのだが、ローストビーフは名刺大が二枚、レバニラ炒めは皿に山盛り、というふうに値段の高低を量で調節している。

レバニラはモヤシシャキシャキ、レバーの火の通しかげんも立派。

つまりこの店は、皿割りもさることながら、料理も安くてうまいということで繁盛しているようなのだ。

ちょっとやるせなくて
立って飲むのもわるくないです
コート着たまま

奥のほうで盛りあがって飲んでいた六人グループの、「フジ三太郎」に出てくる女性上司風が、ころやよし、とみてとってか、レジで皿を二枚買った。

いよいよ皿割りが始まるらしい。

三太郎上司の部下の若手サラリーマンたちが、それぞれマジックで皿に何事か書きつけている。

「ぼくは『ワタナベのマザコン野郎』でいくぞ」

「それじゃ、ぼくは『マルヤマのつるっぱげー』にする」

「そこへ『死ね』を書き加えてくれ」

なるほどそうだったのか。皿に悪口を書いてたたきつける、というのが正しい皿割りのやり方らしいのだ。

「相合い傘書いて、イマムラとヨシイを並べてくれ」

これは、この仲をこわそうというノロイの図式のようだ。

つまり一種の〝逆絵馬〟奉納の儀式なのだ。

みんなでワイワイ言いながら皿に次々に何か書いているところは、卒業式のときの寄せ書きのようにもみえる。

「じゃ、マエダ君とキクチ君、割って」

三太郎上司の命令でマエダとキクチは皿割りコーナーへ向かう。すると店中の客がワッとばかりに皿割りのコーナーに集まってきた。この店のアトラクションの始まりなのだ。

驚いたことに、コーナーの入り口のところにマイクがつるしてあり、これを使って怒鳴ることになるらしい。

破片によるケガ防止のために、ゴーグルも備えつけてある。ゴーグルをかけ、マイクを握りしめたマエダは、見物人多数のせいか格好をつけて、「核実験反対」と叫んで皿をたたき割った。なんじゃそりゃ。

二人目のキクチは「イマムラのバカヤローッ」と正しく叫んで皿をたたき割った。

見物人からパラパラと拍手が起こる。

ウーム、そうか、キクチは、ワタナベとマルヤマとイマムラとヨシイの中から、イマムラを以上総代として選んだのだ。他の連中は以下同文となったのだ。

ぼくも皿割りをやってみたかったけど、一人で来て皿を割るのは相当な勇気が必要だ。何か叫ぶのは恥ずかしいし、黙って割るのはなんかこう陰惨だし、やっぱり大勢で来て陽気に割ってくれるほうが店としても助かるのではないか。

船でお花見

〽春のうららの隅田川*
　のぼりくだりの船人が……

春はなんといってもうららです。隅田川です。隅田川を忘れちゃいませんか、と言いたい。誰に言いたいかというと、ぼくに言いたい。ぼくの〝お花見スポット〟から、隅田川がすっぽり抜けていた。

東京近辺のお花見スポットと言えば、まず上野公園、千鳥ケ淵、靖国神社、小金井堤、井の頭公園といったところが頭に浮かび、いつも隅田川が抜け落ちていた。

そうだ隅田川に行ってみよう。

隅田川に行って、将軍吉宗、家斉の命で植えられたという、川のほとりの桜の大行列を見てこよう。

幸い、ことしの桜は、寒さのせいか満開状態が長続きしている。

四月の五日ごろからほぼ満開状態となり、この原稿を書いている十五日でも、まだまだお花見が可能だ。

こうなると、いままで抱いていた桜の花のイメージが変わる。

客が、「一晩だけ泊まってすぐ帰る」と言っていたので大歓迎したら、次の日も帰らず、その次の日も帰らず、三日たっても四日たっても帰らず、もう客扱いではなく、あとはもう勝手に咲いてな、と、誰もが見放している。

やっぱり花は散りどきが大切だ。

とりあえず浅草に着いてみると、東武浅草駅の裏の吾妻橋から、隅田川堤の桜の大群を見ながらの、「隅田川クルージング」というものが出ているという。

東京都観光汽船が、桜の季節だけ浅草―桜橋間を往復するクルージング船を走らせており、所要時間は四十五分。

船着き場のポスターには、「船内で琴の生演奏を行なっています」とあり、料金は〃野だてセット〃が千五百円。〃ほろよいセット〃が千九百円とある。

〃野だて〃のほうは、（乗船料＋長命寺桜もち＋お抹茶）で、〃ほろよい〃のほうが、（乗船料＋和風オードブル＋お飲み物）で、お飲み物は、（ビール、日本酒、ジュース、ウーロン茶の中から一本選択）とある。

考えてみれば、いままでのぼくのお花見は、一地点定点観測スタイルであった。つまり、桜の下にビニールシートを敷き、そこに酒や料理を並べてすわりこんだらもう移動はしない。風景も変わらない。

ところが船での花見は、ビニールシートが移動していくことになる。人間がビニールシートごと川に入っちゃう。川に入って移動していく。見物する桜の木もどんどん変われば、風景もどんどん変わる。なにしろこの堰堤《えんてい》には、千三百本の桜の木が立ち並んでいるという。これを〃ほろよいセット〃でほろ酔いになりながら見物するのだ。わが花見史上初の試みということになる。

〃ほろよいセット〃なるものがいかなるおつまみかわからぬが、わが花見史上初の〃ビニールシート川流れ方式〃の花見のつまみに遺漏があってはならぬ。ぼくはこの近隣を駆けめぐっておつまみの収集に努めた。

雷門の並びにあるすき焼きの「ちんや」の店頭売りで牛たたき（六百五十円）を買う。仲見世通りの入り口の炒り豆屋「はじけ豆」で塩豆（七百五十円）を買う。この店は二百五十グラム以上売りなのでとんでもない大袋だった。中華の「正華飯店」の店頭売りで鶏唐揚げと青椒肉絲を買う。やはり同じ通りの「相模屋本店」で浅草名物デンキブランを売っていたので小ビンを買う（五百九十円）。その近くの「趣味のおはきものの店・富士弁」で、天狗が履く一本歯の高下駄（六千円）を売っていたが、これは買わない。

大量のおつまみを抱えて、五時五十分（頃）発の船に乗りこむ。

船は定員五百五十三名の立派な観光船で、この日は小雨にもかかわらず、すでに六十名ほどの行列が

カーチャンについてはきたけれど
楽しそうではないオトーサン

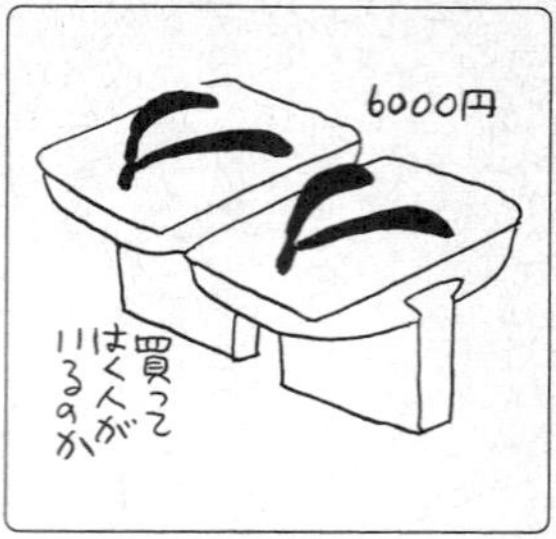

できていた。

客の大半は、ご多分にもれずオバチャンで、その他はオバチャンがつれてきたオジチャン、アベック、なぜか青年の二人づれが何組かいる。

乗船すると、まず和服女性の琴の生演奏が目に入るしかけになっている。

ナマ琴をチラと横目で見たオバチャンたちは、とにもかくにも窓際の席を目指して走る。しかし、五百五十三対六十だから、窓際の席は十分にあるのであった。

ほろよいセットのおつまみは、エビ天、野菜天などの天ぷらとカマボコ、卵焼きなどであった。

船はゆるやかに夕暮れの隅田川を出発した。

オバチャンたちは、早くも〝ほろよいセット〟の缶ビールをグイーとあけ、「アー、ほろ酔いになったー」と、赤くなった頬に手を当て、ほろよいセットに律義な態度を示すのであった。

隅田川の堤を墨堤《ぼくてい》と呼ぶそうだ。

墨堤の桜は、どこまでもどこまでも、まるで終わりがないように延々と続く。動いているのは船のほうなのに、船の中から見ていると、桜のほうが目の前を流れていくように見える。

延々と続く桜と共に、灯のともった提灯の行列も延々と続き、花見の雰囲気をいっそう盛りあげてくれる。

しかし、川の中央を進むわが船からは、桜の木はいかにも遠い。

桜の木のすぐそばを、提灯に飾られた屋形船がゆっくり進んでいく。屋形船の窓から、飲めや歌えの様子が見える。そうだったのだ。お一人様何千円の屋形船は土手のすぐ下を行き、わがほろよいセット千九百円の船は川の中央を行くのだ。ま、大型船は川の中央を行くということなんだろうけどね。

大量のおつまみ持ち込みは失敗だった。なんせ、航行時間は四十五分。ほろよいセットのおつまみと缶ビール一本（ないし二本）で、ちょうどぴったりの時間だったのだ。

＊「花」武島羽衣作詞

五目ちらしの沈黙

寿司と聞けば誰もが色めきたつ。

まして、誰かがおごってくれる、なんてことになれば、そのコーフンは極に達する。おごってくれる人が神様に見える。おごってもらったあとは、ペコペコしてその人の家来のようにふるまう人もいる。

寿司にはそのぐらいの威力がある。

ただしこれは、おごってくれる寿司が握り寿司の場合に限る。稲荷寿司をおごってもらって家来になる人はいない。五目ちらし寿司も同様だ。

そう言えば、五目ちらしって、お店で食べた記憶がないな。

エート、あるかな？　ウーン、ないな。

ひと昔前は、お祭りとか、お彼岸などには、どこの家でもよく五目ちらしを作ったも

五目ちらしを食べてもカニ化しないおばさん

のだった。ニンジンやキヌサヤやシイタケや、たっぷりの錦糸卵に彩られた五目ちらしは、春のお花畑のように色鮮やかだ。

五目ちらしは春が一番よく似合う。

こんなにも色彩に満ちあふれたゴハンて、ほかにあるだろうか。

エート、あるかな。ウーン、ないな。

その昔、子供たちは、五目ちらしを作る母親につきまとったり、取り囲んだりしながらその作業に〝協力〟したものだった。

この作業のクライマックスは、飯台に湯気モーモーのゴハンをドサッとあけるときと、その上に色とりどりに煮上がった具をドサッとあけるときだった。

ソレッとばかりに子供たちのウチワ代表が、ウチワを持ってあおぐ係になる。ウチワ代表はときどき酢にむせかえりながらも健闘するが、この作業は子供にはけっこうきつく、つい手が止まっては、

「ホラ、しっかりあおぎなさい」

と母親に注意されるのだった。

子供は子供で、まだよく混ざってないカタマリを見つけ、

「そこ、まだ混ざってないよ」

などと母親に注文をつけたりするのだった。

母親がシャモジをかえすたびに、まっ白なゴハンが具で汚れていく。具の色に染まっていく。

五目ちらしは他の食事に比べ〝みんなの共同作業で作ったゴハン〟という印象が強かった。

そのわりに、子供たちは何をしたかというと、母親につきまとってさわいでいたことと、ウチワであおいだだけなのであった。

製作工程が複雑多岐で、かつ長時間かかるわりに、食べるとなると五目ちらしは実に

あっけなかった。

飯台いっぱいの五目ちらしを、一人一人お皿によそってもらうとき、自分の順番が待ちどおしかった。五目ちらしは茶わんではなく、なぜかお皿だった。

お皿に山盛りの五目ちらしを食べ終わるともうおなかいっぱいで、結末は実にあっけないものだった。

むろん、大人になったいまも、ときどき五目ちらしを食べる。

積極的にではないが、目の前にあればなんとなく食べる。

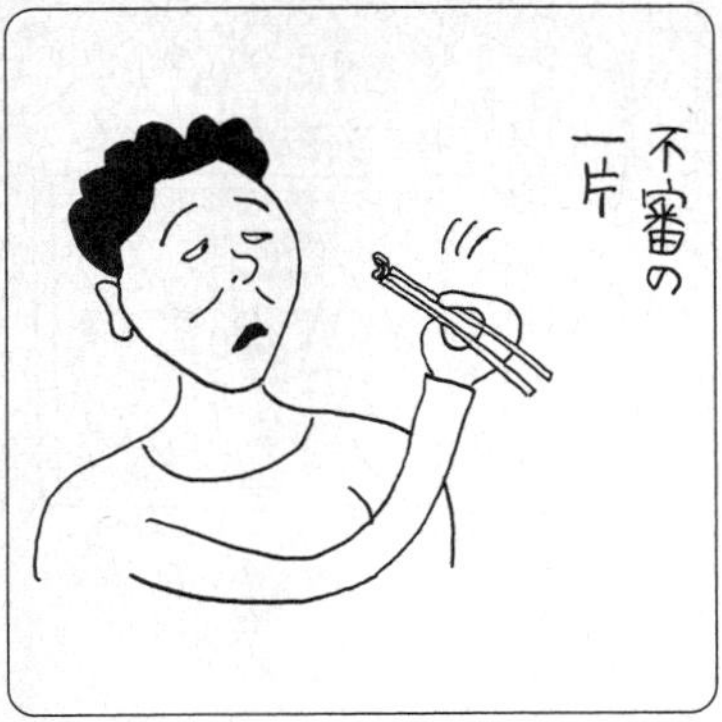

五目ちらしは複合の味だ。

具の何かが一つだけ強く出たりしないように配慮された食べ物だ。その中でただ一つ、酢バス（蓮）だけがその個性を主張する。甘から味のゴハンが、三口、四口と続いたあとの酢バスのショリショリが絶好の口なおしとなる。

酢バスだけをつまみあげてたべたり、酢バス込みのゴハンをショリショリ食べたりする。

五目ちらしは、ただ無意識にばくばく食べているようにみえて、実はその意識下で細かな配慮をしな

がら食べているものなのだ。

たとえば、一口分を箸ですくい取ろうとして、ふと、その近所のシイタケの一片を取り寄せて加え、その一口分の味の濃厚化をはかったりする。上に載りすぎている錦糸卵を少しわきへよけ、具の均質化をはかったりする。

たまたま混ざりこんでしまった酢バスの一切れを、

「キミはこん次ね」

と、わきへよけたりする。

よく混ざりきれずに白くかたまっているゴハンを箸の先で突きくずし、そこへ各方面からさまざまな具を一つ一つ持ちこんで、急遽、均質な五目ちらしとなす。

導入と排除。

常にこの二つの作業に心を痛めつづけているのだ。

絶えまなく内容物の点検を行い、絶えまなく適正な配合に心をくだく。

すでによく混ざっているはずの具と酢めしの配合を、さらに細かく再調整することを怠らない。

それは、ただ白いだけのゴハンを食べているときと比べてみれば、その違いがよくわかるはずだ。

時にはやや大きめの干ぴょうを発見し、しめしめと取りあげ、干ぴょうだけの味を味わったりする。

また時には、

「オッ、これは何だ？」

と不審の一片を取りあげ、しばし見つめ、よじれてはいるが高野豆腐ではないかと当たりをつけ、しばし味わい、やはり高野豆腐であった、と納得、会心の笑みをもらしたりする。

実にもう、絶えまなく点検し、絶えまなくほじり、絶えまなく箸を動かしている自分に気づく。

まさに箸文化の申し子のような食べ物と言うことができる。

こうした細々とした点検と配慮と、導入と排除と、再配合と再調整の作業のために、五目ちらしを食べている人は次第に寡黙になっていく。

カニを食べるときの〝カニ現象〟が、五目ちらしの場合にも起こるのだ。

昼懐石などの店で、おばさんたちの会話があんまりうるさいときには、五目ちらしを出すなんてのは、どうカニ？

超季節限定商品柏餅

食べ物に季節感がなくなっていくなかで、柏餅だけはいまだにそれを失っていない。
柏餅は、風薫る五月、それも、こどもの日近辺以外には食べられない。
冬、コタツにあたりながら柏餅を食べようと思っても食べられない。
春、梅見の茶席で柏餅を食べようと思っても食べられない。
夏、海水浴のビニールシートの上で食べたいと思っても食べられない。
柏餅は、チョー季節限定和菓子なのだ。なぜか。
「そりゃもうはっきりしてますがな。柏の葉っぱはこの季節にしかありゃーせんがな」
などと言ってるそこのキミ!
柏餅用の柏の葉っぱは、いまは陰干しにして一年中貯蔵してあるのだ。
大きなデパートなどの菓子材料のところには、袋に入った柏の葉っぱが売られている

のだ。
　柏餅によく似たものに、桜の葉で餅を包んだ桜餅があるが、こっちのほうは一年中売られている。一応、春の和菓子ではあるが、東京向島の「長命寺の桜餅」は一年中売られている。同じようなものでありながら、こっちは一年中「チョー、オッケースよ」の世界なのだ。
　柏餅だけは、秋、ふと虫の声でも聞きながら「柏餅食べたいな」と思っても、翌年の五月までじっと待たなければならない。
　もう十年以上も前のことだが、「冬でも冷し中華を食べたい」という人々が集まって「全日本冷し中華愛好会」というのを結成し、「冬にも冷し中華を食わせろキャンペーン」を展開したことがあった。ジャズピアニストの山下洋輔氏や作家の筒井康隆氏などがその中心だった。

「全日本柏餅愛好会」結成の動きはないのか。柏餅には、冷し中華ほどの熱烈な愛好家はいないのだろうか。あるいは大勢いるのだが、世間の嘲笑や弾圧を恐れ、隠れ柏餅愛好家として全国各地にひそんでいるのだろうか。ときどき密かに連絡を取りあい、秘密の会合を開いたりしているところを摘発され、「踏み柏餅」などさせられているのだろうか。

どうもなんだか、柏餅がチョー季節限定となっているウラには、なにか和菓子界の陰謀があるような気がしてならない。

とにかくですね。いまならまだ柏餅売ってます。いまのうちに食べましょう。いまなら食べてるところを見つかっても摘発されたりしません。

柏餅をつくづく見ていると、柏の葉というものはつくづく柏餅のために生まれてきた葉っぱなんだな、と思わざるをえない。

その大きさ、タテ幅、ヨコ幅、ギザギザのつきぐあい、葉の拡がりぐあい、明白な葉脈の展開、そのすべてが柏餅に合わせてデザインされているといっていい。

柏の葉は、生まれながらに柏餅と出会う運命だったのだ。

二人は赤い糸で結ばれていたのだ。

もし柏の葉があの大きさではなく、台所のまないたぐらい大きかったら、餅のほうも巨大なものにしなければならず、それはちょっとムリなので、この話はなかったことにしよう、ということになったはずなのだ。

柏餅の餅は特異な形をしている。

皮を折りたたんでその間にアンコをはさんである。

昔は一人者などが、フトンがなくて一枚のフトンを折りたたんでその間に寝ることを「柏餅で寝る」と言ったものだ。

その餅を、柏の葉で包むことを思いつかなかったらどうだったか。

ハダカのままで皿の上に盛ってあるところを想像するとよくわかるが、なんという貧相な姿であることか。

殻を抜け出たカタツムリのように、何とも頼りない姿になってしまう。

和菓子は、黒文字《くろもじ》とか小さなフォークとか、何らかの器具を使って食べるのがふつうだが、柏餅はそうしたものを使って食べている人を見たことがない。みんな手で食べている。

途中から器具が参加したりすることもまずない。

葉脈の太いほうからピリピリはがしていくと、艶やかな餅の表面が葉っぱのほうに引っぱられ、いかにもそのどこかに傷がつきそうでありながら、しかし決してそうはならず、不安を覚えさせながらも最後までなんとかきれいにはがれていく。

全域無事。

全域無傷。

柏餅はむくたびに不安。

しかしいつも無事。

おそるおそるはがしていって、全域無事にむき終わったときのかすかな成功感。

さて、どこから、どうやって食べたらいいのか。柏餅の正しい食べ方、というのはあるのだろうか。

「正しくは、まず全域をはがして小皿に移します。柏の葉は二つに折りたたんで左側に置きます。餅からはがした柏の葉というものは、なぜか急に乾いて、ともすればガサゴソと起きあがってきますので、オシボリなどを重し代わりに置きます。皿に移したハダカの餅を、おヨージなどで突き刺し、左手を下に添えて召しあがるのがよろしゅうございますね」

というのはウソです。

柏餅はじか食いが正しい。

葉っぱの両端を両手で持って口に近づければ、立ちのぼってくる五月の若葉の匂い。それを吸いこんでまん中のあたりをまずパクリ。

あとは両手をタテにしたり、ヨコにしたり、事情を知らない外国人などが前から見たら、まあ、このヒトは顔の下半分を大きな葉っぱで隠して、一体何をやっているのだろうと思うにちがいない。

パリにぎ対しめにぎ

いま、コギャルたちの世代に、白黒のモノクロ写真がうけているという。

いまのコギャルの世代は、生まれたときから写真といえばカラーだった。

だから、白と黒だけの写真がかえって新鮮らしいのだ。

特に自分が白黒で写っている写真は新鮮に見えるらしい。

「自分が白黒で写っている写真トカってェ、初めて見るわけだしィ、チョー新鮮てカンジィ」

というようなことらしい。

そう言われてみると、おじさんとしても、なるほど、そうかもしれないってカンジィ。

おじさんたちは、人生が白黒写真でスタートしたから、人生の途中から現れたカラー写真や総天然色映画がチョー新鮮に感じたのだが、コギャルたちはそのチョー逆になる

らしい。

一方……。

コンビニのおにぎりにも同様の現象が起きつつあるという。

これまでのコンビニのおにぎりは、海苔をしけらせないために、フィルムパックしてゴハンと海苔を分離したタイプが主流だった。

ところが一昨年あたりから、昔ながらのゴハンにじかに海苔を巻いたタイプのおにぎりが出現しはじめ、いまやこれがコギャル世代の圧倒的な支持を受けつつあるという。

当然、じか巻きタイプは海苔がしめっている。

このしめったおにぎりが「チョー新鮮てカンジィ」らしいのだ。

いまのコギャルの世代は、生まれたときからコンビニがあり、生まれたときからおにぎりといえば、分離型のパリッとタイプだったのだ。

そういう世代にとっては、しめったおにぎりは、白黒写真と同様、〝新しいもの〟として映ったようなのだ。

生まれたときから白黒写真としめにぎで育ったおじさんとしては、

「ホーレ、みろ」

と、なんだか誇らしい気がする。

「な、そうだろ」

と、自分の手柄のように思えてくる。

コンビニ関係のおじさんたちも、しめにぎを売り出すときは心配だったにちがいない。

昔ながらのじか巻きタイプのしめにぎは、三角タイプのパリにぎに比べ、形は丸くて古くさいし、しめってるし、地味だし、ダサイし、

「いいのかね、こんなにみっともなくてむさくるしいおにぎりでも」

と、おずおずと差し出してみたら、

「チョー、オッケースよ」

ということになったので、おじさんたちは、

「チョー、ラッキーってカンジィ」

と大いに喜んだにちがいない。

話はちょっと逸れるが、コンビニのパリにぎ系のおにぎりの〝フィルム引き抜き方式〟は、各コンビニでまちまちだったのだが、全国的に同じ方式に統一されたの知ってます？

おじさんは
もうすっかりパリにぎに
チョー馴染んで
しまったので、しめにぎは
なんだかピンときま
せん

たしか一昨年のことだと思うが、これでローソンで買ったおにぎりも、セブン‐イレブンのおにぎりも、サンクスのも、全部同じ方式で引き抜くことができる。これからの入試なんかには「信長の全国統一」と並んで「コンビニおにぎりの全国統一」は何年か？　なんて問題が出るかもしれませんよ。

さて、おじさんはたったいま、近くのサンクスで、しめにぎとパリにぎを一つずつ買ってきて、これから二者の比較検討に入らんとしているところであります。

まず、しめにぎ。

まずパックを破ったときの、プンと匂う海苔の匂いに驚かされる。とってもいい匂いだ。うん、そう、

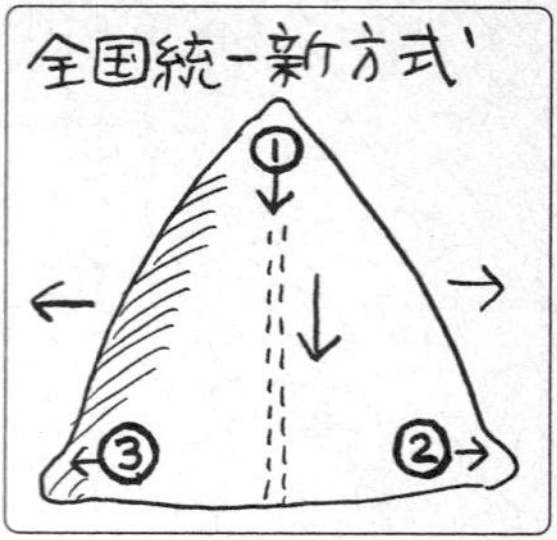

海苔とゴハンがくっつき合って、すっかりなじんだ昔のおにぎりの匂いだ。懐かしい海苔弁の匂いも少しある。

お互いのすべてを知りつくした海苔とゴハン。

米粒の一粒一粒の起伏を、一粒とておろそかにすることなく、一粒とて手を抜くことなく、海苔は一つ一つなぞって自分の起伏に置き換える。

密着という意味から言えば、これ以上の密着はない。

信頼と依託。そこからくる安心と放心。パリッとしたパリにぎの海苔と比べると、少ししなびたようなしなび感。そしていくばくかの疲労感。

しっとりと落ちつきはらったそのたたずまいは、老境に向かう熟年夫婦の趣がある。

海苔は、めくろうとすればめくれる。少しずつめくれて白い肌が現れる。しかしいまさら、そんなところをめくったところでどうなるというのだ。めくってどうしようというのだ。

一方、パリにぎのほうはどうか。

こちらはしめにぎほどの匂いは匂い立たない。

統一方式によって、まず上部中央の矢印をピリピリと下端まで剝いていき、さらに真下を剝き、背中のほうにまで剝きあげていく。

剝いて割れていくその割れ目が、おにぎりの底部を通過して背中に回っていくその一瞬、なまめかしいような気持ちになるのはなぜだろうか。

フィルムを抜きとったばかりのパリにぎは、あちこち乱れていてなんだかあわただしい雰囲気がある。

常ならぬ状態を感じさせる。

日曜日の朝、新婚の夫婦を急襲したときのようなあわただしさがある。

フィルムを抜きとったばかりのパリにぎは、海苔の裾があちこち乱れ、白い肌がところどころのぞいて見える。

なぜか少しあわてて、乱れた裾をあちこち押しつけて白い肌を隠してやるときは、なんだか急襲されてあわてる夫のような心境になる。

しかし、いかにパリッとした海苔といえども、所詮、少しずつしめっていく運命にあるのだ。パリにぎの時代はほんの一瞬である。

真面目な食べ放題

食事というものは、本来とても真面目なものである。正しく作ったものを正しく食べ、正しく味わい、正しい栄養となし、正しい労働のための正しいエネルギーとするのが食事である。

外食ならば、正しく作った料理の材料の正しい原価に対し、いくばくかの利益を上のせした正しい料金を払うのが正しい客の正しい態度ということになる。そうなのだが、ときには正しくないというか、真面目でない食事というものもまた存在するのである。

ギョウザを百個食べたら料金タダの上に五千円進呈、などという食事は真面目な食事とはいいがたい。

ワンコソバなどというのもどちらかというと、あまり真面目な食事とはいえない。食べ放題にも少し不真面目なところがある。店側にも、客側にも、どうせ食べ放題だから、

という双方の暗黙の了解がある。

ところが世の中には、〝真面目な食べ放題〟もあるのです。

この店の食べ放題は、何が食べ放題なのかというと、何とおかずが食べ放題なのです。

そうなのです。定食のおかずが食べ放題なのです。

シャブシャブ食べ放題とか、カニ食べ放題とか、そういった不真面目な食べ放題ではなく、真面目かつ地味。

そのおかずがまた地味中の地味派。

全日本真面目おかず認定委員会と、全日本地味おかず認定委員会が揃って認定した「ひじきの煮物」「切り干し大根」「キンピラごぼう」の、〝日本三大地味真面目おかず〟がこの店のメニューには揃っているのだ。

ＪＲの御茶ノ水駅を三省堂のほうに下っていくと左側にミズノスポーツがあって、ちょうどその裏のほうにある「魚がし」がその店。

店の入り口のところには、小さな貼り紙で「和食バイキング」と書いてあるだけで、大々的に食べ放題をうたっているわけではないようだ。

では店の中に入ってみましょう。

うん、なるほど、夜は居酒屋で、昼食時にはランチという、ビジネス街によくある店造り。

入り口のところで勝手がわからずマゴマゴしていると、愛想のいいメガネのおばちゃんが「初めて？」と訊いてくれる。「うん」とうなずくと、「とりあえず八百円ね」と八百円を徴収され、直径十八センチぐらいのお皿を一枚渡してくれて、「何回おかわりしてもいいのよ。ただし残したら罰金よ」と言うのでまた「ウン」とうなずく。このセリフは〝初めて〟のお客が来るたびにくり返している。

ただし罰金がいくらなのかは言わない。十万円ぐらい取られるのだろうか。

渡されるお皿はこのお皿一枚きりでお盆もない。この一皿で全食事を終了させなければいけない。つまりこのお皿はおかずの運搬道具であり食器であり、この店の通行手形でもあるのだ。もし失くしたりしたら再発行してくれるのだろうか。

お皿を持って店中央の〝おかず陳列台〟のところへ行く。

台の上には直径三十センチぐらいのお皿に盛ったおかずが十八種類。

十八種類の内訳は、「南瓜《かぼちゃ》の煮物」「さつま芋のレモン煮」「大根と竹輪とガンモの煮物」「ホーレン草おひたし」「筍、人参、ごぼうの煮物」などの超地味派から「鶏唐揚げ醤油味」「鯖の揚げ煮」「鶏のつくね揚げ」「肉豆腐」「スパゲティナポリタン」「じゃが芋と人参のクリームシチュー」などなど。

このほかに「納豆」と「生卵」も取り放題。

味つけもちゃんとしているし、ふつう定食屋の鯖は、味噌煮と決まっているのに、この店では、鯖を一度揚げてから煮るという手間のかかることを真面目にやっている。

この店では、真面目なおかずに真面目に手をかけているのだ。

十八センチのお皿に、次々におかずを盛っていく。

食べ物は盛りつけが大切だ。盛りつけかた如何《いかん》で食欲がわいたり、なくなったりする。会席料理などでは、皿の奥を小高く、手前を低く広く、彩りの対比などを考えながら盛りつけていく。だがこの店の場合は、一皿に全料理を盛りこんでいかなければならない。奥とか、手前とか、彩りなどについて考慮しているヒマはないのだ。

ハジからビッシリ。ほんの一箸ずつ詰めこむと、全十八種類なんとか盛りこめた。

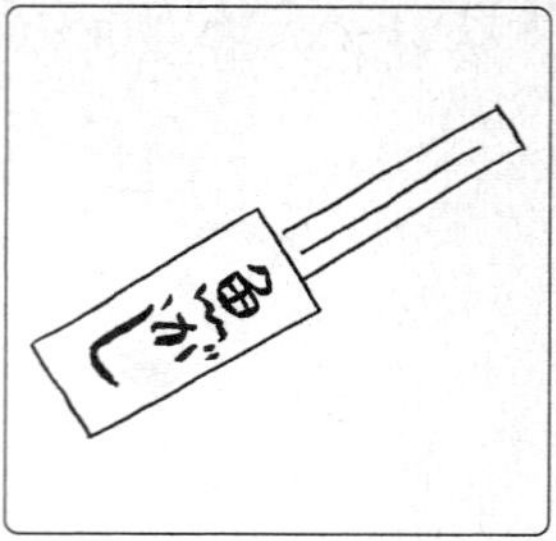

この間に、店側は、茶わんにゴハンを盛りつけてテーブルの上に置く。このゴハンが置かれた場所がその客のすわるべき席なのだ。

味噌汁はお代わり自由、ゴハンも何杯でもお代わり自由。

十二時半。三十席ほどある店はほぼ満員で意外にＯＬが多い。ＯＬは意外に大胆で、何回も席を立ってお代わりをしに行く。

ぼくの隣はケータイ電話を胸のポケットに入れた若いビジネスマンで、これもどんどんお代わりをする。

席にすわったときから血気盛んで、まずネクタイをピッとうしろにはねあげ、「鯖の揚げ煮」を二切れもいっぺんにとり、その周りにギッシリおかずを盛りこみ、途中まで食べると納豆を取りに行き、生卵もついでに一個持って戻ってきた。

食事をしているとどうしてもゴミが出る。このケータイ青年の場合はサバの腹骨が多数出た。こういうものは、二回目出陣時、皿の上に残って邪魔になる。ケータイは納豆を全部ゴハンの上にかけ、その発泡スチロールの容器をゴミ入れとして活用するのであった。どうやらこの店のプロであるらしい。だがこの青年は「生卵いっぺんに五個取り」などという暴挙は行わず、店側も客側も、節度を守って真面目なのであった。

塩っぱいタラコ

スーパーに行くと、どのスーパーにも必ずタラココーナーがある。タラコ愛好家はまだまだたくさんいるのだ。メンタイコ愛好家が増えているとはいうものの、なかなかどうして、タラコファンも健闘しているのだ。

それにしても、タラコファンは、タラコを買って帰ってどういう食べ方をしているのだろうか。

まず考えられるのは、ゴハンといっしょに食べる食べ方である。あとは、タラコをほぐしてタラコスパゲティとか、エート、あとは何だろ。

納豆を使った料理の本とか、豆腐料理の本とかはたくさんあるが、不思議に〝タラコ料理〟の本は見たことがない。だからどういう料理法があるのかよくわからないのだ。ゴハンで食べる場合、タラコ愛好家はタラコをどういうふうに料理して食べるのだろう

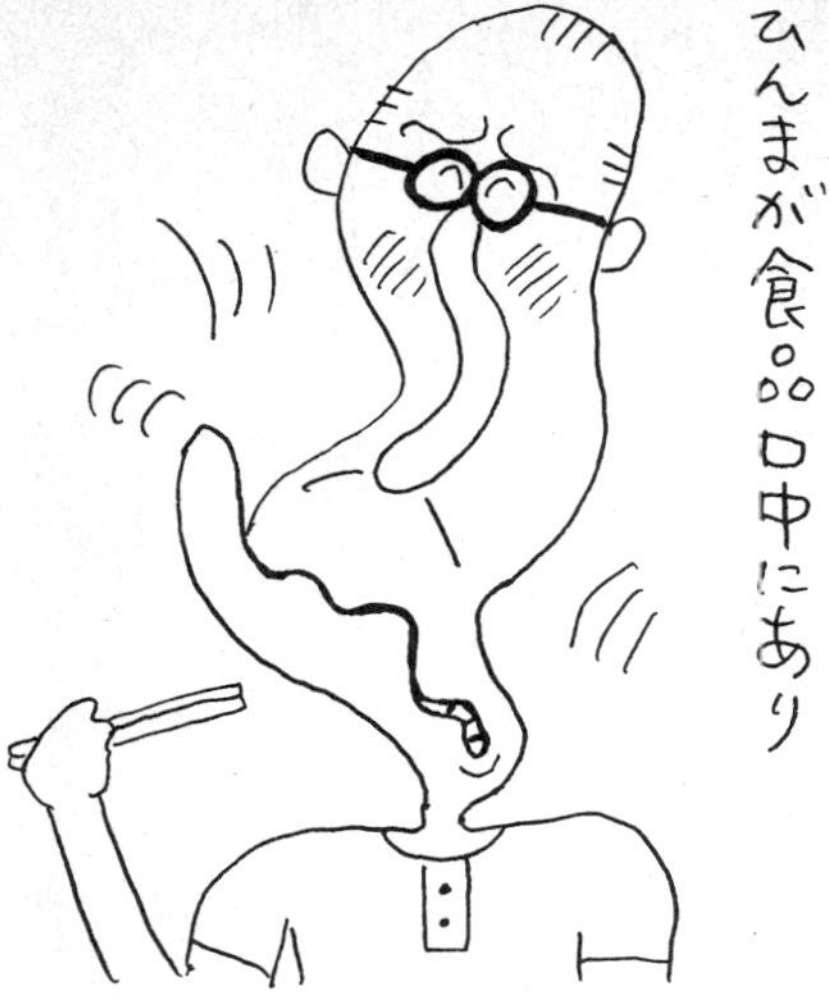

か。

「タラコはいっさい料理しません。トレイのパックをピリッと破いて、皿の上に静かに横たえるだけです」

という人が多いのではないだろうか。

ポッテリしたタラコを皿の上に横たえ、脇腹のあたりを箸でチョイチョイと突きくずしては熱いゴハンの上にのせて食べる。またチョイチョイと突きくずしてはゴハンといっしょに食べる。というようなことを友人に話したら、

「いえ、わたしは脇腹からはいきません。シッポのほうから

粛々といきます」

という答えが返ってきた。

タラコに脇腹やしっぽがあるのか、という問題はあとまわしにするとして、つまり、この友人も、タラコを買って帰ってから一切手を加えずに食べているということがわかった。

こういう買って帰って一切手を加えずに食べる魚類製品は非常に少ない。

刺し身だって、醤油をつける、という作業をする。

カマボコなら、まず切る。切ってから醤油をつける。

タラコに限っては何もしない。〝皿の上に静かに横たえる〟というぐらいの作業しかしない。横たえて、いきなり脇腹を攻める。

こういう製品を、食品流通業界では「いきなり食品」という専門用語で呼んでいるのだが（ウソです）、とにかく大抵の人はタラコを生で食べているようだ。

ところがですね、昔はですね、タラコは焼いて食べるものだったのですね。それに、昔のタラコは猛烈に塩《しょ》っぱかった。

猛烈に塩っぱいタラコを、裏表こんがり焼いて、ゴハンにのせて食べたり、お弁当の上にのせて持ってったり、お茶漬けにして食べたりしたものだった。

この猛烈に塩っぱいタラコのお茶漬けがウマかった。しみじみウマかった。

そのころは塩ジャケも口がひんまがりそうになるほど塩っぱかった。

当時、タラコと塩ジャケは、業界では「二大ひんまがり食品」と呼んでいたのだった。

(ウソに決まってます)

だけど、塩ジャケもタラコも、猛烈に塩っぱいところがうまかったのだ。

昔の塩ジャケは、薄くて小さくて見た目は貧弱だったが、皮のあたりとか、腹皮のフチあたりには、白く塩が吹いていて、この〝塩吹き地帯〟がこたえられないぐらいウマかった。最近、梅干しも塩ジャケも、タラコも漬物も、みーんな塩分ひかえめとか称して塩っぱくなくなってしまった。

タラコ唇の
人は
自分で
タラコの味が
楽しめます

ついこのあいだ、中華料理店でザーサイを食べたら、徹底的に塩分が抜いてあってウマくもなんともなかった。昔のザーサイは〝ひんまが食品〟の親分のような存在で、ものすごーく塩っぱかったのだ。

塩分がカラダによくないというが、うんと塩っぱいものはほんのちょっとの量しか食べない。

昔のタラコなんか、箸の先にほんのちょっとつけてゴハンを一口食べたものだった。

「わたしなんか、タラコ二粒でゴハンを一口食べたものです」

という人もいる。（いません）

タラコを生で食べるようになった歴史は比較的新しい。

それはメンタイコの普及と共に始まったような気がする。

メンタイコが九州で発見されたのが昭和二十四年だそうで、それが全国的に普及しはじめたのが、山陽新幹線の博多開通の昭和五十年あたりではないかといわれている。

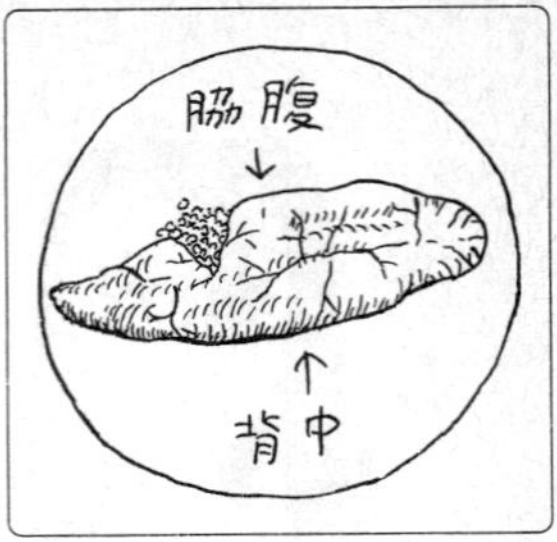

生のタラコは、脇腹もしっぽも、全域同じ味である。

どこを食べても、少し湿って、少し塩っぱくて、少し生ぐさい魚卵の味だ。

ところがこれを焼いたとたん、各地域の味が変わる。

火の通り方の違いで味が変わる。

特に皮の味が変わって見ちがえるようにウマくなる。

特にうんと塩っぱいタラコほどウマくなる。うんと塩っぱいタラコを作るのは簡単で、買ってきた「甘塩タラコ」に塩をびっしり振ってラップで包んで三時間ほどおけばよい。五時間ほどおけば昔の〝ひんまがタラコ〟に近くなる。

この塩っぱいタラコの皮は、焼くと塩漬け魚卵特有の発酵臭のようなものが生まれる。うまく発酵したイカの塩からのようないい匂いがする。中身と違う味になるわけですね。

自分は中身と同じだと思っていた皮が、焼かれたことによって目覚めるわけです。自分は皮であったのだと。

生のタラコの皮ははがれないが、焼くとピリピリとはがれる。はがれた皮の内側に、まだよく焼けていない中身が少しくっついてきて、これをゴハンの上にのせて食べると、よく焼けた皮の味と、まだ生焼けのタラコの味がいっしょになって、なんとももうこたえられませんですよ。ハグハグ。お茶漬けもこたえられませんですよ。ハグハグ。

シリーズをめぐる三つの教訓と一つの予想

米原万里

モスクワに赴任中の大学の後輩S君は、ジャーナリストとしてはアグレッシヴで文章もカミソリのように切れ味鋭いけれど、ふだんは、人当たりの良い優しい好青年だ。そのS君からある日、電話がかかってきた。それが、受話器を取るなり、穏やかじゃない。人違いかと思ったほどだ。

「ちょっと困るんだよね。いや、かなりかなり困ってるんだ」

ひょっとして冗談か。いや、それにしては、声にトゲがある。

「ちょちょっと、何のことよ」

とあわてながら、一カ月ほど前、モスクワを訪れた際、心ならずも何か恨みを買うことをしでかしたかなと必死でふり返る。好物のきんつばと乾燥おからを持っていって手渡したときは、あんなに嬉しそうにしていたというのに、何なんだ。

「米原さん、わたしたちに何か、恨みでもあるんですか?」

S君の連れ合いM子さんの声が、割って入る。気だての良いM子さんが、こんな物言いをしたのは、初めてではないだろうか。

「メメメメメメッソーもない」

と否定するのがやっとである。

「そーですか、そーですか。米原さんが、これほど思いやりのない人だとは思いませんでした。肝に銘じました」

ああ、気がつかずに何かとんでもないことを口走って二人を傷つけてしまったのかなあ。わたしも「舌禍美人」とあだ名される身だから、自信がない。身から出たサビをあちこちにとりこぼしているはずだ。

ああ、しかし、こうなると、モスクワへ行くたびにM子さんの美味しい手料理をご馳走になるという楽しみも無くなるのか。いや、それは何としても避けなくては。二の句が継げられずにいるところへ、またS君の憎々しげな声が聞こえてきた。

「いや、思いやりがないなんてもんじゃないでしょ」

「そうだわね、そんな言い方は、ソフトすぎたわね」

「そうなんだ。あきらかに悪意があるんだよ。サディズムなんだ。残酷すぎるんだ」

「そうよ、そうよ。あれからどんなにわたしたちが苦しんでいることか」

勝手に二人でわたしへのあてつけ漫才をはじめた。さっぱり見当がつかないものだから、黙って聞いているうちにこちらもだんだんイライラがつのる。

「ちょっと、待ってよ！　何のことよ！　話がぜんぜん見えないじゃないの！」

「またまた先輩、しらばっくれちゃって、いやだなあ」

「だから、何だっていうのー？」

「えっ、本当に分かってないんですか?!」

「だから、早く言いなさい!!」

「あの本ですよ」

「どの本？」

と言いつつ、旅の途中で読み終えた本は、現地に長期滞在中の日本人に全部恵んでくる（彼らは例外なく日本語の活字に飢えており、非常に感謝してくれる。しかも、本は現地在留邦人のあいだで回し読みされ、話題になり、とにかく本としてこの世に生まれ出てきて、この上なく幸せな生涯を送ることになるので、お薦めなのだ）という資源の有効利用を兼ねた慈善事業を実践しているわたしとしては、必死になってS君に手渡した本が何だったか思い出そうとする。

「まだ分からないんですか？　先輩も老化が進んでますます鈍くなりましたね」

本を恵んだ相手になんでこんな嫌味を言われなきゃならんのだ！　と理不尽な仕打ちに耐えながらも一生懸命思い出そうとするが、やはり見当がつかない。

「参りましたよ、あのタクアンには。ああいう本を置いてくときは、ちゃんとタクアンとサツマ揚げぐらい一緒につけてくれないと困ります!!」

　これでようやくわたしも話の全貌がつかめてきた。『タクアンの丸かじり』だ。あれを置いてきたのがいけなかったのだ。いやあ申し訳なかった、と心の底から反省しかけたところ、相手はまだ文句たれてる。

「たとえですよ、たとえタクアンとサツマ揚げが付いていたとしても、それでも、うまい鰻重や理想的なラーメン屋の話、このモスクワで読まされるのは、あまりにもあまりにも酷です」

「読まなければいいじゃない」

　とつい口が滑ってしまった。

「なに言ってるんですか、先輩！　読まないで済めば、こんなに苦しむはずないじゃないすか!!」

　というわけで、教訓その一。丸かじりシリーズの本は、間違っても、長期間外地に在留する邦人に手渡してはいけない。ただし、この教訓のバリエーションとして、虐めたいヤツ、復讐したいヤツが長期外地に滞在している場合は、極めて有効な方法となる。

　なお、ここで話題になった『タクアンの丸かじり』は、モスクワへ向かう機中で読んでいたのだが、わたしがあまりにもしばしば客席でのたうち回って笑い転げるものだから、隣席のロシア人のおっさんの好奇心がどんどん膨脹していくらしくて、少しずつこちらに身を乗り出してくるのがわかる。おっさんついに堪えきれずに切り出した。

「何だ何だ、何が書いてあるんだ？」

この可笑しさを何とか伝えてあげよう、これこそ草の根文化交流である、そういう崇高な心意気に突き動かされて、というよりも、少なく見積って、わたしの二倍はある体積がのしかかってくる圧迫感から早く解放されたくて、わがロシア語力を総動員したのだが、ハッキリ言って放射線医学や遺伝子工学に関する会議の通訳の時より苦労したのだった。

なのに、お新香、タクアン、サツマ揚げ、うな丼なんていう何の変哲もない単語のところで突っかかり、言葉と時間をむやみに費やしたのだが、結局相手にはまったく伝わらず、疲労と虚しさだけが残った。言葉の壁の前に立ちはだかる文化の壁の途轍もない高さと分厚さに打ちのめされたのだった。

というわけで、教訓その二。丸かじりシリーズを外国語へ翻訳しようなどという大それた野心を抱いてはいけない。

言い換えれば、このシリーズを楽しむには、極めて厳格な資格というか、素質というようなものが必須条件となっているのだ。

まず、日本語が理解できること。さらには、現代日本のごくふつうの食生活を体験していること。この、ごくふつうと言うところが、外国人には、結構むずかしい。

　しかし、逆に、このシリーズを楽しめるほどの人は、出身がどこの国の人であれ、もう立派な日本人なんじゃないか、という気がしてきた。これを読んで、望郷の念にかられる日本人と同様、今にも日本に飛んでいきたいと思う外国人もまた、日本に対するその情熱（愛と言い換えてもよい）にかわりはないのではないか。

　ピョートル・ワイリとアレキサンドル・ゲニスは、その著『亡命ロシア料理』（沼野充義他訳・未知谷）の中で、人が故郷に惹かれる理由、人が故国を離れても、いつまでも故国に結び付けられている理由をいみじくも次のように明かしている。

「人間を故郷と結び付ける糸には、じつに様々なものがなり得る。偉大な文化、雄大な国民、誉れ高い歴史。しかし、故郷から伸びているいちばん丈夫な糸は、魂につながっている。いや、つまり、胃につながっているということだ。

　これはもう、糸などというものではなく、綱であり、頑丈なロープである」

　アメリカ合衆国に暮らす亡命者の二人が、どれほどに望郷の念に苦しみ悶えたか、ひしひしと伝わってくる文章だ。

　というわけで、教訓その三。丸かじりシリーズが楽しめるほど理解できて、S君やM子さんみたいに、ここで描写された食べ物が無性に食べたくなるような人。居ても立ってもいられなくなるような人。そういう人は、わたしが勝手に太鼓判を押しましょう、立派な愛国者です。

たとえ、祭日に日章旗を掲揚していなくたって、君が代の歌詞を知らなくたって、もう間違いなく、正真正銘の日本人です。あるいは、本物の親日家です。

第三の教訓の応用として、自分の国を思う心に自信がなかったら、このシリーズを読んでみることです。たとえば、本書に収められた「回転鍋出現す」を読んで、この店に是非とも行ってみたいと思ったとしたら、自分の愛国心と日本人度に十分に自信を持っていいんじゃないでしょうか。

さて、このシリーズも、文庫化はすでに十三冊目とか。『週刊朝日』の連載は、ますます好調に続いている。

これだけ続くと、今までわたしが述べてきたこと以外に、新たな価値が付け加わってしまった。

それは、著者や編集者が意識しているか、いないかは別にして、歴史資料的な価値を帯びつつあるということである。

二〇世紀後半から二一世紀前半にかけて、主に日本列島に棲息した人々が日常的に食していた食材とその料理法およびその食べ方、さらにはその周辺事情に関する、もう驚くべき詳細な記録になっているということである。

こうなったら、東海林さんには、死ぬまでこのシリーズを続けてもらうしかないのではないか。

百年後、二百年後の人々が（あえて日本人と言わないのは、温室効果で日本列島は海底に沈み、今の日本人の子孫がどれだけ残るのか、また、コンビニ食の急速な普及により、今の食生活がどれだけ継承されていることか、皆目予想がつかないので）、このシリーズをどのように解読するか、ちょっと知りたい気もする。

（ロシア語同時通訳・エッセイスト）

〈初出誌〉「週刊朝日」一九九五年九月二九日号〜一九九六年六月十四日号
（「あれも食いたいこれも食いたい」）
〈単行本〉一九九七年五月　朝日新聞社刊

文春文庫

ダンゴの丸《まる》かじり

定価はカバーに
表示してあります

2001年9月10日　第1刷

著　者　東海林《しょうじ》さだお
発行者　白川浩司
発行所　株式会社 文藝春秋
東京都千代田区紀尾井町 3-23　〒102-8008
TEL 03・3265・1211
文藝春秋ホームページ　http://www.bunshun.co.jp
文春ウェブ文庫　http://www.bunshunplaza.com

印刷・凸版印刷　製本・加藤製本

Printed in Japan
ISBN4-16-717748-X

文春文庫

東海林さだおの本

（ ）内は解説者

ショージ君のにっぽん拝見
東海林さだお

マンション・バスに乗ってみたり、阿波踊りに挑戦したり、競輪学校に入学してみたり、プロ野球に八つ当りしたりして、日本中を笑いの種にしてしまう愉快な珍道中。（野坂昭如）

し-6-1

ショージ君のぐうたら旅行
東海林さだお

日本最北端の岬でハナミズをたらし、信濃路ではタヌキ汁に舌つづみを打ち、小笠原島で昼寝するなど、気ままな旅を楽しんで、哀愁とロマンの香り高い紀行。（畑正憲）

し-6-2

ショージ君のゴキゲン日記
東海林さだお

ヨーロッパ旅行で一人隊列から離れ、集団見合いを見て嘆息し、悲しき玩具、セックス・ショップでは遂にポルノ人形を買ってしまうというゴキゲンな探訪記。（青木雨彦）

し-6-3

ショージ君の面白半分
東海林さだお

せり出したオナカを気にしながら、全国を駆け歩く。Gパン専門店、国技館、後楽園球場、ニューヨーク。どうにもならぬ中年男のいらだちが味を添える爆笑ルポ。（神吉拓郎）

し-6-4

ショージ君の青春記
東海林さだお

青春を語るには恋を語らねばならぬ。漫画家を志望しつつ女にモテたいために早大露文科へ。挫折の連続の漫研生活、中退しての売り込み暮らし。人気漫画家誕生までの青春放浪記。

し-6-5

ショージ君のほっと一息
東海林さだお

若い女性の嫌うものはハゲ、デバラ、モモヒキ。目下の悩みはデバラのみ。モテたい一心でカロリー計算に憂身をやつすが効果さっぱり。ヤケで呑みほすビールの味はまた格別ですな。

し-6-6

文春文庫

東海林さだおの本

東海林さだお
ショージ君の「さあ！　なにを食おうかな」

イモ・スイトン・フスマ団子そだちの我らがショージ君が、飢餓世代〝嚙みまくり派〟を代表し、高層レストランから青山墓地の屋台食堂まで食いまくる、涙ぐましき食味エッセイ。

し－6－7

東海林さだお
ショージ君の東奔西走

草野球で八番セカンドの分際で大リーガーの技術を学ぶべく渡米し、立食いソバでウメーと叫んでいる身で高級中国料理を賞味するため香港へ。チグハグな行動力で東へ西へ多忙な毎日。

し－6－8

東海林さだお
ショージ君の一日入門

幼い頃から一度は〝なってみたい〟と憧れていたファッションモデル、私立探偵、バレエダンサーたちの学校に無試験無面接でイソーロー入学。日陰の身の淋しさを乗り越えて健闘する。

し－6－9

東海林さだお
ショージ君の満腹カタログ

ナワのれんで上役、下役、ご同役のドラマをじっと観察し、街を流す焼芋屋さんの人生哲学を傾聴し、アベックを見るとコーフンし、電車を乗り継いでは埼玉までウナギを食べに行く。

し－6－10

東海林さだお
ショージ君のコラムで一杯

「私の文章修業」「いちどだけモテた話」などから女の話、キワどい話まで、独自の文体を切り拓き、その第一人者として君臨するショージ君が二十余年間に書いた七十一の傑作コラム。

し－6－17

東海林さだお
ショージ君の男の分別学

ラーメンの食べ方、鍋物のつつき方、オンナのおシリの鑑賞法、のぞき部屋の入り方等々、世の中のどうでもよさそうな事柄についても、それぞれにしっかりとした美学がある。

し－6－18

東海林さだおの本

（　）内は解説者

ショージ君の南国たまご騒動
東海林さだお

今回はフィジー、沖縄と、憧れの南の島へ行ってきました。ヤシの木の間にハンモックを吊り、波の音を聞きながらビールをグビグビ、生卵をウグウグ、何やら力がわいてきて。

し-6-19

ショージ君の時代は胃袋だ
東海林さだお

財界のドン、球界のドンなどという言い方がある。ではドンブリ界のドンは何か。うな丼かカツ丼か天丼か。はたまた親子丼か。空前の胃袋時代をどう生き抜くかを示唆する〝笑撃の書〟。

し-6-20

東京ブチブチ日記
東海林さだお

ショージ君はいくつもの顔をもつ。するどい定食評論家、と思えば新聞の三行広告に隠されたナゾを解き、はとバスに乗れば大興奮。これぞサンダル履きの大東京遊覧。（金井美恵子）

し-6-21

ショージ君の「ナンデカ？」の発想
東海林さだお

カップラーメンの正しい食べ方、飛行機で〝乗り馴れてるもんね〟ポーズをとる秘訣、駅の古新聞は拾うべきか否か、これら三十一の珍問に答える社会人のための新しい常識とマナー集。

し-6-22

平成元年のオードブル
東海林さだお

いらっしゃいませ。どこから読んでもおいしい「読むオードブル」が十八皿。ルポ風笑い茸パイ皮包みコラムソースなど旬の味を取り揃え、ご来店をお待ちしています。（湯村輝彦&タラ）

し-6-23

笑いのモツ煮こみ
東海林さだお

あの、モツ鍋ではありません。笑いの闇鍋モツ煮こみなんです。モツの中身は秘密です。ピリッと辛い薬味は充分にふりかけてありますから、これ以上はかけないで下さいね。

し-6-24

文春文庫

東海林さだおの本

（　）内は解説者

食後のライスは大盛りで
東海林さだお

笑いはやはり幸せな日常生活の中にあるんですよ。激動の世界に疲れてしまった大衆諸君に安らぎを与える唯一の書。どこから読んでも面白い、ショージ君の痛快エッセイ集。（江口寿史）

し-6-27

ニッポン清貧旅行
東海林さだお

いま、貧乏は貴重である。体験しようと思ってもなかなかできない。〃ひがむ・ねたむ・そねむ〃を合言葉に貧乏旅行の道を究めた奥の深ーい一冊。傑作エッセイ15篇。（中島らも）

し-6-35

アイウエオの陰謀
東海林さだお

五十音図の配列は、なぜアイウエオなのか。アオウイエではなぜいけないのか。全麺類東京サミット、電気ポットにおしやられたヤカンの告白などユーモア溢れるエッセイ集。（赤瀬川原平）

し-6-38

行くぞ！ 冷麵探険隊
東海林さだお

著者初の全国食べ歩き旅行記集。「盛岡冷麵疑惑査察団」「正しいハワイ団体旅行」「小樽の夜」「うどん王国・讃岐」「博多の夜の食べまくり」「サファリ・イン・アフリカ」。（鹿島茂）

し-6-40

ずいぶんなおねだり
東海林さだお

海底温泉のハトヤを実体験、ゲイバーのオバサン客を観察し、ナンシー関氏、江川紹子氏と語り合う。縦横無尽な好奇心で、人間界から昆虫界までを見渡すエッセイ集。（いとうせいこう）

し-6-43

発奮忘食対談
東海林さだお＋椎名誠

ショージ君とシーナ氏も、はや人生の中締め地点。おでん、ラーメン、魚介類などに鋭い視線を注ぎつつ、胃袋や欲望の来し方行く末を、それでもシミジミ語り合うのだ。（柴口育子）

し-6-42

文春文庫

東海林さだおの本

（　）内は解説者

タコの丸かじり
東海林さだお
メンチカツとハムカツはどちらが偉いか、おにぎりはナナメ食いに限る、究極のネコ缶を試食する、回転寿司は恐くない、激辛カレーに挑戦……抱腹絶倒の食べ物エッセイ。（沢野ひとし）
し-6-25

キャベツの丸かじり
東海林さだお
タンメンはなぜ衰退したか、駅弁の正しい食べ方とは、昆布は日本料理の黒幕だ、サバ好きは肩身がせまい、カップ麺の言い訳……身近な食べ物を何でもかんでも丸かじり。（阿川佐和子）
し-6-26

トンカツの丸かじり
東海林さだお
初体験の「ちゃんこ鍋」、宅配ピザを征服する、味つけ海苔の陰謀をあばく、ビン詰めはかわいい、大絶讃〝イモのツル〟、夏野菜を叱る……食べ物はこんなに奥が深いのです。（ナンシー関）
し-6-28

ワニの丸かじり
東海林さだお
初体験関西うどん、築地魚河岸のわがままな客たち、青春のレバニラいため、アイスキャンディーに人生を学ぶ、ワニの唐揚げに挑戦……食べ物への愛は深まるばかり。（江川紹子）
し-6-33

ナマズの丸かじり
東海林さだお
ホットドッグの正しい食べ方、いとしい豚肉生姜焼き、懐かしの魚肉ソーセージ、コンニャクの不気味、バッテラ大好き……今回はナマズのフルコースにも挑戦してみました。（高島俊男）
し-6-34

タクアンの丸かじり
東海林さだお
梅干し一ケで丼一杯のゴハンを食べてみる、サンドイッチに苦言を呈す、肉マンにわが人生を思う、目玉焼の正しい食べ方は？　マナイタの悲劇、タクアン漬けに挑戦。（清水ちなみ）
し-6-36

文春文庫

東海林さだおの本

（　）内は解説者

鯛ヤキの丸かじり
東海林さだお
桜桃応答す、懐かしのアメ玉、都庁近辺昼めし戦争、偉業としてのラーメンライス……ますます快調、「丸かじり」シリーズ第七弾！　食べ物の世界は奥が深いのです。（野村進）
し-6-37

伊勢エビの丸かじり
東海林さだお
究極のラーメンの具は何か、お子様ランチ初体験、くさやは孤独な食べ物だ、夏はとろろ、バンコクでタイ料理三昧……ショージ流ユーモア・スパイスが利いた絶品の八冊目。（芦原すなお）
し-6-39

駅弁の丸かじり
東海林さだお
素直じゃない高級ホテルのかつ丼、引き際がむずかしい回転しゃぶしゃぶ、自宅で駅弁をおいしく食べるコツ、ぼかした注文に潜む夢……ショージ・スタイルの奥義を披露！（近田春夫）
し-6-41

ブタの丸かじり
東海林さだお
おせちに潜む派閥問題、風呂場のグルメ本鑑賞、国辱映画の日本食シーン拝見……。ショージ君の飽くなき探求は続き、遂には豚の顔丸一枚を食べてしまいました。（みうらじゅん）
し-6-45

タンマ君　①純情篇②歓喜篇
東海林さだお
タンマ君はしがないサラリーマン。仕事で失敗しては上司に怒られ、可愛い子にモテたと思えば哀れカンチガイ。㋝族に圧倒的支持と共感を得ている週刊文春連載人気漫画の自選傑作集。
し-6-15

タンマ君
③激辛篇④純愛篇⑤妄烈篇⑥清貧篇
東海林さだお
週刊文春連載人気漫画の八五年から十年分を四冊に収録。バブルから清貧へ時代は激変しようとも、泰然自若のタンマ流ダンディズム（？）には脱帽。これぞサラリーマンのバイブル！
し-6-29

文春文庫

随筆とエッセイ

（　）内は解説者

最後のひと
山本夏彦

かつて日本人の暮しの中にあった教養、所作、美意識などは、いまや跡かたもない。独得の美意識「粋」を育んだ花柳界の百年の変遷を手掛りに、亡びた文化とその終焉を描く。（松山巖）

や-11-8

「豆朝日新聞」始末
山本夏彦

汚職は国を滅ぼさないが、正義は国を滅ぼす！　「安物の正義」を売る大新聞を痛烈に嗤いのめした表題作ほか、辛辣無比の毒舌と爽快無類のエスプリの〝カクテル〟五十九篇。（長新太）

や-11-9

愚図の大いそがし
山本夏彦

〝人生教師〟たらんとした版元の功罪を問う「岩波物語」、山本流文章術の真髄を明かした「私の文章作法」など、世事万般を俎上に胸のすく筆さばきの傑作コラム五十六篇。（奥本大三郎）

や-11-10

私の岩波物語
山本夏彦

岩波書店、講談社、中央公論社以下の版元から電通、博報堂など広告会社まで、日本の言論を左右する面々の過去を、自ら主宰する雑誌の回顧に仮託しつつ論じる。（久世光彦）

や-11-11

世はメ切
山本夏彦

「人ノ患《ウレ》イハ好ミテ人ノ師トナルニアリ」と記す「教師ぎらい」、戦前の世相風俗を描いた「謹賀新年」「突っこめ」、現代を抉る「Jリーグ」「小説の時代去る」など名コラム満載。（関川夏央）

や-11-12

『室内』40年
山本夏彦

著者が編集兼発行人をつとめる雑誌「室内」の歩みを振り返り、自らの戦中戦後を語る。「思い出の執筆者たち」「美人ぞろい才媛ぞろい—社員列伝」「戦国の大工とその末裔」など。（鹿島茂）

や-11-13

文藝春秋編
たのしい話いい話 1
岡部冬彦、常盤新平、山川静夫、石川喬司、矢野誠一ら粋人十人が披露する、古今東西有名無名、様々な人々の佳話逸話。「オール讀物」の人気コラム「ちょっといい話」文庫化第一弾。

編-2-15

文藝春秋編
たのしい話いい話 2
吉行淳之介のラーメン談義、チャーチル一世一代のウソ、芥川比呂志の小咄、マッケンローの潔癖性など、各界の著名人の愉快なエピソードを満載。「ちょっといい話」文庫化第二弾。

編-2-16

文藝春秋編
無名時代の私
誰だって、初めから脚光を浴びていたわけではない。夢を追いつつ満たされない日々、何をやろうか模索していた時……有名人69人が自らの苦しく、懐しい助走時代を綴った好エッセイ集!

編-2-17

文藝春秋編
心に残る人びと
誰でも、貴重な出会いのシーンや忘れられないあの人の思い出が、ひとつぐらいは胸に浮かぶもの……。遠藤周作、佐藤愛子、岸田今日子、辻邦生ら著名人75人が語る出会いのエッセイ集。

編-2-21

文藝春秋編
オヤジとおふくろ
各界著名人がオヤジ、おふくろの思い出を綴る「文藝春秋」の長寿連載から、百篇を厳選。荒木経惟、久世光彦、中島らも、美輪明宏、群ようこ、森毅、渡辺えり子……を育てた人はこんな人!

編-2-28

文藝春秋編
あの人この人いい話
通りすがりの少女の厚意から著名人の意外な素顔まで。魅力溢れる人々を山川静夫、矢野誠一、水口義朗、山根一眞がするどい観察眼で描き出す「ちょっといい話」文庫化第三弾。

編-2-29

明治のベースボール
日本エッセイスト・クラブ編
'92年版ベスト・エッセイ集

「手ぬき世代の味覚」、「頭のよすぎる馬」など、身近な心あたたまる話から、環境、高齢化社会の問題までを軽妙なエッセイに託し、全国の有名無名の人々が綴った名品六十篇を収録。

編-11-10

中くらいの妻
日本エッセイスト・クラブ編
'93年版ベスト・エッセイ集

懐かしい昔の味が甦る「支那そば」、本棚に隠した金を探してくれ――「父の遺書」に秘められていた謎をどう解いたか等々、人生の織りなす哀歓を描きつくした珠玉のエッセイ六十二篇。

編-11-11

母の写真
日本エッセイスト・クラブ編
'94年版ベスト・エッセイ集

年間ベスト・エッセイのシリーズ化、十二冊目。書かれるテーマは毎年、似ているようで、確実にそれぞれの時代を反映している。時の移ろいと変わらぬ人の心を見事に捉えた六十一篇。

編-11-12

お父っつあんの冒険
日本エッセイスト・クラブ編
'95年版ベスト・エッセイ集

宇野千代さん晩年のエッセイ「私と麻雀」、漱石の名作を枕に〝論証〟を試みた「『こころ』の先生は何歳で自殺したのか」など、選び抜かれた六十四篇のエッセイ名鑑'95年版。

編-11-13

父と母の昔話
日本エッセイスト・クラブ編
'96年版ベスト・エッセイ集

明治・大正の人々を絶妙に描く森繁久彌の表題作ほか、司馬遼太郎「本の話」、田辺聖子「ひやしもち」、林真理子「理系男と文系男」など世相を映し著者と読者を共感でつなぐエッセイ65篇。

編-11-14

司馬サンの大阪弁
日本エッセイスト・クラブ編
'97年版ベスト・エッセイ集

大作家が相次いで亡くなった96年。田辺聖子「司馬サンの大阪弁」瀬戸内寂聴「孤離庵のこと」の他、「娘の就職戦争」「ボランティア棋士奮戦記」など、激動の世相を映す六十一篇を収録。

編-11-15

（　）内は解説者

酒井順子
たのしい・わるくち
悪口って何でこんなに楽しいの？　自慢しい・カマトト・慇懃無礼……あなたの周りの女性たちの化けの皮を剝ぐ、人気コラムニストのイジワルな視線と超一級の悪口の数々。（長嶋一茂）
さ-29-1

岸本葉子
幸せな朝寝坊
不動産屋にイビラれ、老後のことも気になり出した一人暮らしの三十代。大変なことも多々あるけれど、やっぱり機嫌良く暮したい。日常の喜怒哀楽を率直に綴ったエッセイ集。（白石公子）
き-18-1

岸本葉子
30前後、やや美人
若さあふれる20代とはちがうけど、今の自分も嫌いじゃない。「マンションを買う」「コインロッカーおばさん」「自分の声は好きですか？」など共感エッセイ85篇。（平野恵理子）
き-18-2

ナンシー関
テレビ消灯時間
消しゴム版画の超絶技巧とピリリと辛い文章で、うのが、なお美が、鶴太郎が、ヒロミ・ゴォウが情け容赦なく切り刻まれる。〝テレビ批評〟の新たな地平を拓いたコラム集。（関川夏央）
な-36-2

大石静
わたしってブスだったの？
失恋はいい女の条件だ！　別れた男女は遠い親戚？　「あなた好みになりたい」は不健康。不倫のｓｅｘはなぜいいのか？　人気脚本家による大胆素敵な体験的恋愛論。（残間里江子）
お-21-1

大石静
男こそ顔だ！
幼稚園から名門女子大の付属に通った〝良家の子女〟はいかにして人気シナリオ・ライターになったか？　大人の恋愛論からＴＶ界の内緒話まで、話題満載の痛快エッセイ集。（麻生圭子）
お-21-2